토마토
유기 재배

토마토
유기 재배

**초판발행** 2011년 12월 20일
**초판 3쇄** 2019년 1월 11일

**지은이** 이상민 · 허수범 · 강충길 · 김용기 · 김정환 · 김창석 · 남홍식 · 박종호 · 조정래 · 지형진 · 안난희
　　　　 이　연 · 이문행 · 이민호 · 이병모 · 한은정 · 홍성준 · 강용구 · 남춘우 · 신영안 · 임태준 · 이환구
**펴낸이** 채종준
**디자인** 곽유정 · 이종현 · 박능원

**펴낸곳** 한국학술정보(주)
**주소** 경기도 파주시 회동길 230 (문발동)
**전화** 031 908 3181(대표)
**팩스** 031 908 3189
**홈페이지** http://ebook.kstudy.com
**E-mail** 출판사업부 publish@kstudy.com
**등록** 제일산-115호(2000. 6. 19)

**ISBN** 978-89-268-2857-1 93520 (Paper Book)
　　　　 978-89-268-2858-8 98520 (e-Book)

# 토마토
## 유기 재배

# 목 차

**Part 01**

토마토의 특성과 유기재배

# Ⅰ. 토마토의 특성

- 토마토(Tomato, *Lycopersicon Esculentum*)는 열매가 부드럽고 즙이 많은 장과이다.
- 토마토의 원산지는 남미 서부의 산악지대로, 처음 작물로 재배된 곳은 16세기 멕시코로 알려져 있다.
- 토마토는 가지과 식물로 열대지역에서는 다년생이지만, 온대지역에서는 1년생 식물로 재배된다.
- 토마토가 우리나라에 도입된 시기는 지봉유설에 의하면 조선 선조, 광해군 시대로 추정된다.
- 토마토는 날것을 주스 또는 통조림으로 만들거나 유럽에서는 다양한 소스를 만드는 데 쓰이나 우리나라에서는 주로 생과로 소비된다.
- 최근 연구결과에 따르면 토마토의 리코핀 색소가 세포의 산화를 방지하여 항암효과를 나타낸다고 한다.

# Ⅱ. 재배현황

## 1. 국내 토마토 재배현황

- 토마토는 최신 시설재배를 중심으로 재배하고 있으며 농가에서 중요한 환금성 작물 중 하나이다.
- 2009년 토마토 총 생산량은 383,765톤으로 대부분은 시설재배지에서 생산된다.
- 토마토의 생산지는 노지에서 점차 시설로 옮겨가면서 2009년 총 생산면적 6,188ha 중 대부분인 5,951ha가 시설재배지이다.
- 토마토 단수는 지속적으로 증가하여 2009년 시설재배지에서 6,320kg 이었으나 선진국에 비해서는 낮은 수준이다.

표 1. 연도별 토마토 재배면적 및 생산량          (단위: ha, kg, 톤)

| 연도 | 노지 | | | 시설 | | |
|------|------|------|--------|------|------|---------|
| | 면적 | 단수 | 생산량 | 면적 | 단수 | 생산량 |
| '81 | 2,510 | 2,966 | 74,438 | 1,078 | 2,808 | 30,266 |
| '86 | 1,117 | 3,093 | 34,545 | 1,827 | 3,231 | 59,051 |
| '91 | 569 | 2,795 | 15,902 | 1,932 | 3,855 | 74,472 |
| '96 | 216 | 3,327 | 7,187 | 3,828 | 5,636 | 215,756 |
| '01 | 130 | 4,255 | 5,532 | 3,218 | 6,222 | 200,231 |
| '02 | 178 | 4,558 | 8,114 | 3,353 | 6,516 | 218,485 |
| '03 | 131 | 4,425 | 5,797 | 3,971 | 6,651 | 262,121 |
| '04 | 259 | 4,499 | 11,653 | 5,624 | 6,810 | 382,968 |
| '05 | 256 | 4,599 | 11,773 | 6,493 | 6,580 | 427,218 |
| '06 | 275 | 4,205 | 11,563 | 6,338 | 6,652 | 421,592 |
| '07 | 223 | 4,282 | 9,549 | 7,130 | 6,596 | 470,302 |
| '08 | 136 | 3,858 | 5,247 | 6,008 | 6,706 | 402,923 |
| '09 | 237 | 3,241 | 7,680 | 5,951 | 6,320 | 376,088 |

## 2. 유기농 토마토 재배현황

- 유기인증 농산물의 생산량은 1999년에 6,996톤 이후 꾸준히 증가하여 2009년에는 108,810톤이었으며 총 면적은 13,343ha에 이르렀다.
- 유기농 채소 생산량은 2008년 62,354톤으로 유기인증 생산물 중 가장 많은 양을 차지하고 있다.
- 유기인증을 받은 토마토 재배농가는 2010년 현재 197농가이고 재배면적은 192ha로 예상 생산량은 약 9,480톤 정도이다.

# Ⅲ. 토마토 품종

## 1. 유기재배를 위한 토마토 품종의 선택 기준

### ✚ 병해충 저항성 품종 선택

- 토마토에서 병해충 방제는 유기농재배의 성공 여부에 매우 중요하다.
- 최근 품종들은 대부분 복합 저항성 품종들로 개발되고 있다.
- 주로 잿빛곰팡이병, 잎곰팡이병, 겹무늬병, 역병, 점무늬병, 흰가루병, 시들음병, 풋마름병 등의 병해가 심하여 품종 선택 시 고려해야 한다.
- 토마토는 잎에 털이 있어 진딧물에 강한 편이나 온실가루의 피해가 심하다.
- 주요 해충에 저항성인 토마토 품종은 아직 개발되어 있지 않으므로 해충 발생이 적은 품종을 선택하여 재배하여야 한다.

### ✚ 숙기 및 초형에 따른 품종 선택

- 토마토 품종은 크기에 따라 일반토마토, 방울토마토, 송이형 토마토로 구분한다.
- 수확기의 속도에 따라 완숙형, 미숙형으로 분류되는데 완숙형은 착색된 이후에도 과피가 쉽게 물러지지 않아서 저장력이 강하다.
- 일반적으로 조생종은 초기 수량은 많으나 후기 수량이 적고 만생종은 초기 수량이 적다.
- 우리나라는 각 작형에 따른 기상환경이 상당히 달라서 그 작형에 따라 요구되는 토마토 품종 특성이 다른데 이는 (표 2)와 같다.

표 2 작형에 따른 토마토 품종 특성

| 작형 | 조숙성 | 대과성 | 내열과성 | 공동과 저항성 | 난형과 저항성 | 줄기 썩음과 저항성 | 내병성 |
|------|--------|--------|----------|----------------|----------------|---------------------|--------|
| 촉성 재배 | ◎ | | | ◎ | ◎ | ◎ | ◎ |
| 반촉성 재배 | ◎ | | | ◎ | ◎ | ○ | ◎ |
| 조숙 재배 | ○ | ◎ | ◎ | | ◎ | | ◎ |
| 억제 재배 | | ◎ | ◎ | | | ◎ | ◎ |

※ 이병저항성 정도: ◎ 강, ○ 중간

# 2. 주요 품종의 특성

- 레전드: 하우스 촉성재배용 완숙형 토마토로서 숙기는 조생종이며 저온, 저일조 재배에서도 과일 비대가 좋고 창문과의 발생이 적다. 초세는 중간 정도로 안정되어 있으나 후기 초세가 약간 강한 편으로 생육 후반기까지 안정수확이 가능하다. 시들음병, 반쪽시들음병, TMV, 점무늬병에 복합내병성이다.

- 마이로꾸: 억제 재배와 여름철 비가림 재배에 적합한 완숙형 품종으로 시들음병, 반시들음병, TMV(TM-2a형) 점무늬병, 뿌리혹선충, 잎곰팡이병에 저항성이다. 숙기가 빠르며 초형이 우수하고 수량성이 높다.

- 오렌지 캐롤(Orange Carol): 여러 작형에 넓게 적응하지만 특히 촉성, 반촉성 재배에 적합한 극조생 품종이다. 저온에 비교적 강한 품종이며 화방은 다화성으로 착과성이 우수하고 열과에 매우 강하다.

당도도 9~10°Brix로 감미가 좋고 독특한 풍미가 있어 식미가 매우 좋다. 베타카로틴이 적색 품종에 비하여 상당히 높아 영양적으로 우수하다. 담배모자이크바이러스, 시들음병, 점무늬병에 저항성이고 뿌리시들음병에도 강하다.

• 토마토의 주요 병해인 잎곰팡이병, 흰가루병에 대해 품종별로 피해 발생 정도가 차이가 난다.

품종별 토마토 잎곰팡이병 발병 정도

슈퍼탑

도태랑골드

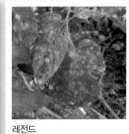
레전드

도태랑레드

품종별 토마토 흰가루병 발병 정도

파워킹(저항성)

602

리코핀

빅스타

# Part 02

•

육
묘

관
리

# I. 육묘 기술

토마토는 육묘기간 영양생장과 꽃눈분화가 동시에 진행되기 때문에 모종의 소질이 이후 토마토의 생육과 수량에 많은 영향을 미치는 작물이다. 이 때문에 "토마토는 육묘가 절반이다."라는 말이 있을 정도이다. 건전한 토마토 모종은 병해충의 피해를 받지 않고, 뿌리의 발달이 충실하고, 꽃눈의 발육이 적절히 이루어져 있어야 한다.

## 1. 유기육묘의 조건

- 육묘장: 유기육묘장은 반드시 유기인증을 받은 곳이어야 한다.
- 상토: 유기상토로 주요 영양분을 충분히 가지고 있어야 한다.
- 식물영양: 유기자재에 의한 영양공급이 이루어져야 한다.
- 병해충방제: 화학적인 방법을 배제하며 방제를 해야 한다.

## 2. 육묘의 장단점

- 장점
  - 대량 생산에 유리하고 정식에 따른 시간과 노동력이 절감된다.
  - 특히 플러그 육묘는 시설이나 자재 노력을 절감할 수 있고 아주심기의 노력도 상당히 줄일 수 있다.

- 단점
  - 생산계획 및 재배에 많은 주의가 필요하다.
  - 노동력 절감을 위한 기계화(자동화) 및 숙련된 작업자가 필요하다.
  - 토마토 플러그 육묘의 경우 모종의 노화가 빠르다는 문제점이 있다.

# Ⅱ. 상토

## 1. 유기상토의 구비조건

- 토마토 육묘에 필요한 상토의 조건은 다음과 같다.
  - 상토는 배수성, 통기성, 보수성이 좋아야 한다.
  - EC는 0.5~1.2mS/cm 이하이고, pH는 6.0~6.5 정도가 적당하다.
  - 병충해에 오염돼서는 안 되며, 잡초종자나 유해성분 등을 포함해서는 안 된다.
  - 생육에 필요한 비료성분을 함유해야 한다.
  - 다루기 편리해야 한다.
- 육묘용 상토는 다양한 재료들을 혼합하여 만들 수 있지만 유기상토의 재료들은 선택하기 전에 다음 사항을 고려해야 한다.
  - 상토재료는 종류에 따라 재이용이 가능한 것은 회수할 수 있어야 한다.
  - 상토재료는 자연에 풍화·분해되어 쓰레기를 발생시키지 않고 농경지 등의 재배 환경을 손상시키지 않아야 한다.
  - 악취·오염 등이 없이 작업자가 쾌적하게 작업할 수 있어야 한다.

- 화학비료와 합성물질을 첨가한 상토는 유기농업에서 이용할 수 없다.
- 시판 상토의 사용도 가능하나 완숙퇴비와 같은 유기물과 무균토양 등의 재료로 상토를 제조할 수 있다.

### 표 1. 일반 상토의 주 원료

| 구 분 | 수입 원료 | 국내산 원료 |
|---|---|---|
| 식물성 | 코코피트, 토탄, 피트모스 | 왕겨숯, 왕겨 |
| 광물성 | 버미큘라이트, 펄라이트 | 지오라이트, 규조토, 마사, 황토 |

출처: 상토연구(2006)

※ 시판상토의 이용 시 주의사항

시판상토는 화학비료가 첨가되지 않아야 하며 개봉한 것은 그 작기에 모두 사용한다. 부득이하게 남은 상토는 오염된 퇴비나 흙이 섞이지 않도록 따로 보관하고 침수되거나 오염된 물이 흘러들어 가지 않게 보관한다.

### 표 2. 유기상토에 필요한 우수한 퇴비의 요건

| 항 목 | 기 준 | 항 목 | 기 준 |
|---|---|---|---|
| pH | 6.5~8.0 | 질산염(Nitrate) | ≤300ppm |
| 황화물(Sulfide) | 없어야 함 | $CO_2$ | ≤1% |
| 암모니아(Ammonia) | ≤0.05ppm | 수분 함량 | 30~35% |
| 암모늄(Ammonium) | 0.2~0.3ppm | 유기물 함량 | ≥25% |
| 아질산염(Nitrite) | ≤1ppm | 염 도 | ≤3dS/m |

출처: ATTRA(1998)

# 2. 유기상토의 제조

## • 제조방법

① 상토에 필요한 재료를 준비한다.

– 질석, 제올라이트, 펄라이트, 팽연왕겨 등(표 3)

② 상토가 병해충에 오염되어 있는지, 잡초종자 등이 섞여 있는지 확인한다.

③ (표 3)과 같이 A형 또는 B형의 비율로 재료를 배합한다.

표 3. 팽연왕겨를 이용한 유기상토 배합 조성

| 구 분 | 유기상토별 원자재 배합비율(%) | | | | |
| --- | --- | --- | --- | --- | --- |
| | 질 석 | 제올라이트 | 펄라이트 | 팽연 왕겨 | 합 계 |
| 유기상토 A형 | 5 | 10 | 15 | 20 | 100 |
| 유기상토 B형 | 30 | 10 | 20 | 40 | 100 |

출처: 한경대학교(2008)
※ 수입자재인 피트모스 대신 팽연 왕겨를 사용하여 유기 상토를 제조할 수 있다.

자가 육묘상토 만들기

※ 육묘상토 활용 시 주의사항

　공극률이 매우 적은 육묘상토는 작은 셀의 용기에 사용할 경우 생육이 저하될 수 있다. 또한 다른 상토재료를 임의로 혼합하는 경우 병원균의 오염 및 상토의 균일성이 저해되는 경우가 있다.

# Ⅲ. 파종

## 1. 종자 준비

- 유기농업에서는 합성화학 물질의 사용이 금지되므로 유기종자를 사용하는 것이 원칙이다.
- 토마토 종자는 수명이 4~5년 정도 되나 오랜 기간이 지난 종자는 발아가 나쁘기 때문에 채종 후 2년 이내 종자를 사용한다.
- 토마토는 발아율이 높으므로 모종 수의 1.2배를 파종하면 충분한 모종을 확보할 수 있으나 오래된 종자는 1.5배 정도 파종한다.
- 종자의 소독은 온탕침법, 건열살균 등의 방법이 있다.
  - 과채류의 일반적인 온탕침법은 50℃에서 25분 정도로 이루어진다.

# 2. 파종 요령

- 아주심기부터 역산해서 50~70일 전에 파종한다(고온기 육묘는 30~ 40일 전에 파종한다).
- 파종상을 이용할 경우 5cm 간격으로 골을 만들고 줄뿌림을 한다(플러그 육묘에서는 플러그 트레이에 직접 파종한다).
- 파종 후 모래나 버미큘라이트 등으로 5mm 정도 덮어준다.
- 물을 충분히 준 후 신문지 등으로 덮어 건조를 방지한다.
- 발아까지 비닐터널을 덮고 25~30℃로 관리한다.

# Ⅳ. 육묘 관리

## 1. 영양 관리

- 육묘 시 양분 공급은 기비, 추비(액비, 엽면시비)로 할 수 있다.
- 상토 조제 시 충분한 양의 양분을 고르게 넣어야 하며 육묘일수가 길어지거나 양분이 부족할 경우 액비 등을 추비로 공급해 주어야 한다.
- **영양별 공급원**
    - 질소: 혈분, 목화씨 분말, 우모분, 제각분, 콩가루, 축분
    - 인산: 골분, 새우 부산물, 제당 부산물, 인광석
    - 칼륨: 녹사, 화강암 가루, 콩가루, 감자껍질의 회, 나뭇재

## 2. 온도 관리

- 고온에서 육묘하면 꽃눈 분화 및 발달의 속도는 빠르지만 꽃눈 수가 적고 꽃눈 자체도 약하여 낙화되기 쉽다.
- 저온에서 육묘하면 착화절위가 낮아지고 꽃눈 수가 많고 꽃도 크지만 모종의 발육이 늦어지고 기형과가 많아진다.
- 좋은 모종을 기르기 위해서는 변온관리가 필요하다.
    - 낮에는 26℃ 전후, 밤에는 초기에 15℃, 후기에 10~12℃ 정도로 관리하는 것이 좋다.

# 3. 접목

- 토양 전염병이 많을 때 접목을 한다.
- 많은 종류에 대하여 저항성이 있는 대목을 선택한다(청고병, 위조병 등).
- **핀접**
  - 대목의 본잎은 3~4매 정도, 토마토의 본잎이 2~3매일 때 실시한다.
  - 접수는 본잎 밑을 칼로 수평으로 자르고, 세라믹핀을 잘린 면과 직각이 되도록 크기의 1/2 정도 깊이까지 꽂아준다.
  - 대목은 떡잎 위 1cm 정도 되는 지점을 수평으로 잘라 접수에 꽂혀 있는 세라믹핀 나머지 부분이 대목에 꽂히도록 하여 연결한다.
- **할접**
  - 대목의 생장점을 제거하고 줄기를 수평으로 잘라 줄기 중앙에 5mm 정도 칼집을 내고, 접수는 떡잎 밑 부분을 쐐기모양으로 만든다.
  - 접목을 대목의 잘린 면에 끼우고 접목용 클립 등으로 줄기를 고정한다.
- 접목 후 1~3일 정도 햇빛을 차단하고 3~6일간 온도는 25~30℃ 정도를 유지하며 습도는 85% 이상 유지시켜 준다.

# V. 이식

- 옮겨심기는 일반적으로 1~2회 하는데, 1회는 2~3매일 때 하며, 플러그 육묘는 옮겨심기를 하지 않는다.
- 본엽이 7~9매 전개되고 제1화방의 꽃이 약 10% 정도 개화되었을 때 아주심기에 적합하다.
- 아주심는 거리는 90×40~50cm로 심는 것이 일반적이나 유기재배에서는 좀 더 거리를 두는 것이 병해를 관리하는 데 용이할 것으로 판단된다.
- 아주심기 전에 엑스텐과 같은 미생물이나 목초액 처리를 하면 뿌리 활착과 초기 생육에 도움이 된다.

아주심기 전 육묘 처리

아주심기 직후 포장 전경

**Part 03**

•

토 양 관 리

# I. 토양 관리 원칙

## 1. 유기농 토양 관리의 목표 및 원칙

- **목표**

토양의 생태학적 건전성 유지 및 유기농업 생산의 지속성 유지를 목표로 한다.

- **원칙**
  - 영농활동을 통한 환경적·생태적 교란을 최소화한다.
  - 농업생태계 내의 자원 활용을 통한 순환기능을 강화한다.
  - 농업생태계의 생물학적 다양성을 유지 및 증진시킨다.
  - 토양 및 양분의 유실을 방지한다.
  - 토양 비옥도를 유지 또는 증진시킨다.

## 2. 토양 관리 방법

- 윤작, 간작 등을 포함한 작부체계를 실천한다.
- 녹비작물 및 피복작물을 재배한다.
- 작물 수확 후 남은 식물체를 순환한다.
- 유기농·축 부산물을 활용해 유기물을 공급한다.
- 재배적 방법을 통해 토양을 보존하거나 토양오염을 관리한다.
- 기타 허용자재를 이용해 토양 및 양분을 관리한다.

※ 미생물, 동식물을 원료로 제조된 허용자재는 보조적으로 이용한다.

# 3. 유기농 토마토 재배지 토양 현황

전국의 토마토 유기재배 주산지의 토양을 조사한 결과 토마토 연작으로 인해 시들음병, 선충 등 연작장애가 발생하고 있었다. 토양이화학성을 분석한 결과 EC와 유효인산의 함량이 높은 경향을 보였으며, 포화수리전도도와 입단화율 등 물리성은 양호한 편이었으나 일부 농가는 심토의 경반층으로 인해 배수성이 불량하였다.

• 토양의 EC는 1.6~6.9dS/m 범위였고, 유기물 함량은 2.4~4.8%, 유효인산은 570~1,711mg/kg, 질산태질소 함량은 82~475mg/kg의 분포를 보였다. EC가 2dS/m를 초과하는 농가가 많아 유기재배에서도 토양염류 집적에 따른 장해가 발생하고 있음을 알 수 있다.

• 유기물 함량이 2% 이상 높은 토양은 기온이 높을 때 미생물의 무기화작용으로 질소 과잉을 초래하여 고온기에 생산에 차질이 있을 수 있으므로 휴한기에 제염작물을 파종하여 염류를 줄이고 토양 비옥도를 향상시키려는 노력이 필요하다.

표 1. 유기토마토 주산단지 3개 지역의 토양이화학적 특징 및 문제점

| 조사지역 | 유효토심 (cm) | 포화수리 전도도 (mm/day) | 입단화율 (%)* | 가비중 (g/cm³) | | EC (dS/m) | 토양 문제 |
|---|---|---|---|---|---|---|---|
| | | | | 표토 (0~0.2m) | 심토 (0.2~0.4m) | | |
| 경기 양평 충남 아산 경북 울진 | 36~38 | 547~857 | 10~40 (평균30) | 0.87~1.07 | 1.01~1.17 | 1.6~6.9 | 1. 시들음병 2. 풋마름병 3. 두더지 피해 4. 선충 피해 |

* 입단화율이 가장 높은 0.1~0.25mm 범위의 토양입자에 대한 입단화율

- 표토 토양의 삼상 중 고상의 비율은 33~44%였으며, 포화수리전도도는 375~1875mm/day였다.
- 유효토심은 32~42cm로 다양하였다. 토마토는 뿌리가 1m 이상 내려가는 심근성 작물이기 때문에 가능한 깊이 유효 토심을 확보하기 위해 심토파쇄기나 녹비 등의 수단을 이용하여 주기적으로 관리해야 한다.
- 토양의 입단화 정도는 조사 결과 지역과 농가별 차이가 컸다. 입단화율이 높은 농가는 경운 횟수가 적었고 염류 농도가 낮은 특징을 보였다.
- 유기재배 토양에는 일반 농가에 비해 두더지 출몰이 잦기 때문에 진동형 두더지퇴치기와 같은 방제방법을 간구해야 한다.

# II. 토양 조건

토마토는 뿌리가 깊게 뻗는 심근성 작물로서, 적정 수량을 얻기 위해서는 작토층이 깊고 배수력과 보수력이 좋은 땅에서 재배를 해야 한다.

## 1. 토마토 재배에 적합한 토양의 물리적 성질

- 토마토의 적절한 재배를 위해서는 먼저 토양의 배수성이 좋아야 한다.
- 토마토는 수분 보유력이 좋은 미사질식양토가 적합하며 토심은 50cm 정도 유지할 수 있도록 토양을 개선하면 좋다.

- 지하수위가 높으면 근권 내 산소가 부족하여 병 발생이 증가하므로 지하수위는 60~80cm 이내에 있도록 근권 환경을 개선시켜야 한다.
- 지하수위가 높은 답리작의 경우 고휴재배를 통해 지하수위의 영향을 최소화하도록 배수관리를 해야 한다.

**표 2 토마토 재배에 적합한 토양 물리성**

| 구 분 | 지 형 | 경사도 | 토 성 | 토 심 | 배수성 |
|---|---|---|---|---|---|
| 일반토마토 (노지 · 시설 재배) | 평탄지~ 곡간지 | 7% 이하 | 미사질식양토 | 50cm 이상 | 양호 |
| 방울토마토 (시설재배) | 평탄지~ 곡간지 | 7% 이하 | 미사질식양토 | 50cm 이상 | 양호 |

출처: 2010 작물별 시비처방기준

## 2. 토마토 재배에 적합한 토양의 화학적 성질

- 토마토 재배에 적합한 pH는 6.0~6.5로 이때 양분의 이용도가 가장 좋으며, 토양의 pH가 너무 낮으면 유효태 인산들이 불용화가 증가되어 중금속 원소의 증가로 생육이 불량하게 된다.
- 토양의 EC가 3.0 이상이거나 칼리나 마그네슘의 농도가 높으면 토양 내 칼슘이 많더라도 칼슘결핍증상이 쉽게 나타난다.
- 일반토마토와 방울토마토는 적정 토양화학성 중 대부분이 비슷하지만 방울토마토에서 적정 유기물 함량과 치환성 칼륨 함량이 다음의 표와 같이 더 요구된다.

표 3. 토마토 재배에 적합한 토양 화학성

| 구 분 | pH (1:5) | OM (g/kg) | Av. P$_2$O$_5$ (mg/kg) | Ex. (cmol$^+$/kg) | | | CEC (cmol$^+$/kg) | EC (dS/m) | NO$_3$-N* (mg/kg) |
|---|---|---|---|---|---|---|---|---|---|
| | | | | K | Ca | Mg | | | |
| 일반토마토 (노지·시설재배) | 6.0~ 6.5 | 20~ 30 | 400~ 500 | 0.70~ 0.80 | 5.0~ 6.0 | 1.5~ 2.0 | 10~ 15 | 3 이하 | 70~ 200 |
| 방울토마토 (시설재배) | 6.0~ 6.5 | 25~ 35 | 400~ 500 | 0.70~ 0.99 | 5.0~ 6.0 | 1.5~ 2.0 | 10~ 15 | 3 이하 | 70~ 200 |

출처: 2010 작물별 시비처방기준
* NO$_3$-N은 시설재배지 토양

# 3. 토마토의 양분공급량

- 토마토 재배 시 표준시비량은 다음의 표와 같으나 유기농업에서는 화학비료를 사용할 수 없으므로 녹비 및 허용자재를 통하여 필요 양분의 양을 조절하여 시용한다.
- 퇴구비는 양질의 볏짚 또는 산야초로 만들어진 퇴비로서 토양개량제의 효과가 높지만 가축분을 주재로서 만들어진 가축분퇴비는 양분공급효과가 높기 때문에 가축분퇴비를 사용할 경우에는 우분퇴비는 볏짚퇴구비와 동일량, 돈분퇴비는 22%(440kg/10a), 계분퇴비는 17%(340kg/10a)를 사용한다.
- 표준시비량은 농경지의 대표 토양에 대하여 설정된 평균시비량이므로 재배 포장의 토양을 검정하여 양분요구량을 결정하는 토양검정시비량이 더욱 권장하는 방법이다.

표 4. 토마토의 표준시비량 (단위: 성분량 kg/10a)

| 구 분 | | 질소(N) | 인산(P) | 칼리(K) | 퇴구비 | 석회 |
|---|---|---|---|---|---|---|
| 일반토마토 | 노지 | 20.0 | 16.4 | 23.8 | 2,000 | 200 |
| | 시설 | 22.6 | 10.3 | 12.2 | 2,000 | 200 |
| 방울토마토 | 시설 | 22.6 | 10.6 | 11.9 | 2,000 | 200 |

출처: 2010 작물별 시비처방기준
※ 퇴구비 및 석회는 실량기준

# III. 토양유기물 관리

## 1. 토양유기물의 기능

- **물리적 기능**
  - 보수력 증가, 입단 형성, 공극률 증가, 지온 상승, 토양 유실 및 침식 방지 등의 기능이 있다.
- **화학적 기능**
  - CEC 및 보비력 증가, 완충능 증대, 인산유효도 증가, 양분가용화 기능이 있다.
- **토양미생물학적 기능**
  - 미생물 활성 증진, 호르몬·비타민 등 생육촉진물질을 공급하는 기능이 있다.

## 2. 유기자원의 C/N율 (탄질률)

- C/N율: 볏짚 67, 알팔파 13, 미생물 8, 부식산 58, 토양 10
- 유기물의 C/N율이 높은 경우 미생물과의 질소 경합으로 작물의 질소 결핍이 초래되는 질소기아 현상이 발생하지만 C/N율이 낮은 경우 질소의 무기화가 촉진된다.
- C/N율이 낮은 헤어리베치 녹비 및 유기질비료의 경우 양분공급효과가 우수하였다(농과원, 2004).

## 3. 토양유기물 유지 방법

- 녹비 및 양질의 유기물(퇴구비)을 적절하게 사용하고 작물잔사는 반드시 토양에 환원한다.
- 윤작을 실천하고 멀칭 또는 피복작물을 재배하며 초생 또는 등고선 재배 등으로 토양침식을 방지하고 토양유기물을 보존한다.
- 석회를 시용하여 토양산도를 교정하고 과다한 경운을 피한다.

# Ⅳ. 녹비작물 이용

## 1. 녹비작물의 효과

**✚ 토양 물리성 개선**

- 토양의 입단화를 촉진하여 토양개량효과를 높인다.
- 녹비를 공급함으로써 토양의 통기성, 보수력을 좋게 한다.

**✚ 토양 화학성 개선**

- 토양에 섞인 녹비작물은 미생물에 의해 분해되어 부식되고 작물양분을 보유할 수 있는 능력이 증대된다.
- 과잉염류를 녹비작물이 흡수하여 추출함으로써 염류 집적을 방지한다.
- 콩과의 녹비작물은 근균류의 활동으로 공기 중의 질소를 고정하여 토양을 비옥하게 한다.

## ✚ 토양 생물성 개선

- 토양미생물 활성이 촉진되어 미생물의 다양성 및 밀도가 증가한다.
- 녹비의 셀룰로오스, 리그닌, 펙틴 등을 분해하는 유용미생물이 늘어난다.
- 녹비작물을 윤작체계에 도입하면 기지현상이 예방되고 선충 및 토양 병해 등 특정 병원균의 증식을 억제하는 효과가 있다.

## ✚ 기타

- 녹비작물은 푸른 들과 아름다운 꽃을 제공하여 주위의 경관을 좋게 해준다.
- 녹비작물이 표토를 피복하여 토양 유실 및 침식을 예방할 수 있다.
- 녹비작물이 타감물질(Allelochemical)을 분비하고, 토양 전면을 덮어 표토 피복률을 증가시킴으로써 잡초의 발생을 억제한다.
- 십자화과 녹비작물의 경우 토양 병해충에 대해 생물훈증(Biofumigation)* 효과를 갖는다.

## 2. 녹비작물의 활용 요령

- 특정 지역과 시기에 가장 잘 자라는 품종을 우선 이용한다.
- 녹비의 토양 환원 전에 석회석, 천연석고, 가용성 인광석, 퇴비와 미생물제 등을 처리할 수 있다.

........................................

\* 십자화과 등의 식물이 토양 내에서 분해되는 과정에서 발생하는 성분이 토양 병해충에 대한 억제효과를 보이는 사례가 있으며, 이러한 작물들을 이용해 토양을 훈증하는 방법이다.

- C/N율이 높은 화본과 녹비작물의 경우 가급적 잘게 잘라 갈아엎을수록 환원 후 분해가 빠르다.
- 녹비가 분해되기 시작하면 양분 손실을 최소화하기 위해 즉시 주작물을 심는다.
- 토양에 환원된 녹비가 무기화 과정을 거치기 위해서는 녹비작물별 C/N율에 따라 차이는 있으나 따뜻한 지역은 적어도 2주, 온도가 낮은 지역은 4주 정도의 기간이 필요하다.
- 두과 녹비작물은 습해에 약하므로 배수가 불량한 토양에서는 배수로 정비를 철저히 해야 한다.

## 3. 녹비작물의 종류

- **두과 작물**
  - 헤어리베치, 자운영, 클로버, 클로타라리아(네마장황, 네마황) 등이 있다.
  - 공중질소를 고정함으로써 질소성분을 공급하는 최선의 방법이다.
  - 분해가 빨라 후작물이 양분을 쉽게 이용할 수 있다.
- **화본과 작물**
  - 호밀, 수단그라스, 보리 등이 있다.
  - 양분 흡수 능력이 뛰어나 시설재배 염류집적지의 토양양분 조절에 효과적이다.
  - 환원 가능한 유기물이 많아 토양유기물 함량을 증가시키고 토양의 물리성 개선효과가 크다.

- **십자화과 작물**
  - 갓, 유채 등이 있다.
  - 녹비효과와 토양병원균 및 토양유래 해충의 제어를 위한 생물훈증 효과가 있다.

갓

유채

# 4. 주요 녹비작물의 이용

## ✚ 헤어리베치(털갈퀴덩굴)

- **특성**
  - 헤어리베치를 녹비로 토양에 환원할 경우 상당량의 질소를 충당할 수 있다(질소성분량 20kg/10a).
  - 배수가 양호한 사토~사양토에서 생육이 좋으며, 습해에 약하여 식질계 토양에서는 생육이 불량하다.
  - C/N율이 10 이하로 낮아 분해속도가 빠르다.
  - 내한성과 건조에 견디는 힘이 강하다.
  - 토양유실 방지 및 잡초발생 억제 효과가 커서 피복작물로 활용성이 크다.

헤어리베치

헤어리베치 종자

- **파종기**
  - 9월 상순~10월 상순(남부지방)이며, 최소한 10월 상순까지는 파종해야 한다.
- **파종량**
  - 3~5kg/10a(300평)
  - 파종 시기가 늦어지거나 기후특성, 토양환경 등이 불리한 조건에서는 파종량을 늘린다.
- **수확**
  - 겨울·봄이 지나 여름철에 하고 현상으로 자연 고사하지만 작물의 정식시기를 고려하여 정식 2주 전에 토양에 환원해야 가스 피해로부터 안전하다.
  - 정식 전까지 그대로 방치하여 생체피복함으로써 잡초의 발생을 줄이는 방법도 있다.

✚ 크로타라리아(Sunn Hemp, Crotalaria: 네마장황 혹은 네마황)
- **특성**
  - 초기생육이 매우 빠르고 공중질소를 고정하므로 질소를 공급할 수

있다.

– 토양 내 뿌리혹선충, 뿌리썩음선충 등 선충 억제효과가 좋다.

– 줄기 속이 비어 있어 장기간 재배하여도 딱딱해지지 않고 갈아엎기 쉽다.

– 가축독성이 있으므로 가축에 먹이면 안 된다.

네마장황

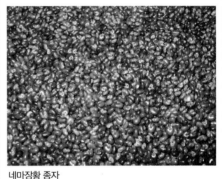
네마장황 종자

- **파종기**
  – 고랭지: 6월 상순~7월 하순
  – 일반지: 5월 중순~8월 중순
  – 제주도: 2월 하순~9월 하순
- **파종량**
  – 10a(300평)당 6~8kg 정도 산파한다.
- **수확**
  – 초장 1~1.5m 정도나 파종 후 50일 전후에 한다.
  – 작물을 갈아엎거나 5~10cm 정도로 잘게 썰어 갈아엎는다.
  – 후작물을 심기 전에 로타리 경운을 2~3회 실시한다.
  – 부숙 기간은 2~3주 이상이다.

✚ 호밀(Rye)

· 특성

  – 맥류 중 내한성이 가장 강하여 고랭지 및 중북부 지역의 −25℃ 정도
    의 추위에서도 재배가 가능하다.

  – 이른 봄의 저온신장성이 우수하여 재배하기 쉽고 겨울철에는 지표를
    피복하여 토양을 보호하며 흡비력이 강하다.

  – 호밀은 지하부에 대한 지상부의 비율(S/R률)이 0.88로 지하부의 생
    육량이 많으므로 토양의 물리적 성질을 개선하는 데 도움을 준다(농
    과원, 2005).

  – 호밀은 C/N율이 높아 질소경합으로 인한 질소기아현상이 발생할 수
    있으므로 주의한다.

호밀

호밀 종자

· 파종기

  – 고랭지: 9월 하순~10월 상순

  – 일반지, 제주도: 10월 중순~10월 하순

  – 최적 발아온도는 25℃이나, 지온 4~5℃에서도 4일이면 발아한다.

- **파종량**
  - 15kg/10a 내외로 산파하거나, 두과녹비작물과 혼파한다.
- **수확**
  - 출수기 직전이 녹비로 환원하기 좋은 시기이며 시간이 경과할수록 C/N율이 높아져 분해가 느려지게 된다.

✚ 수단그라스(Sudan Grass)

- **특성**
  - 전형적인 하계용 1년생 사료작물로 청예용으로 주로 사용하나 최근에는 녹비작물 또는 염류가 집적된 시설재배지에서 제염작물로 사용이 증가하고 있다.
  - 생육이 왕성하여 토양에 환원 가능한 유기물이 많아 토양 개량에 효과적이다.
  - 고온과 가뭄에 강하여 비교적 재배가 용이하다.
  - 초기생육은 다소 느린 편이나 활착된 이후에는 생장속도가 빠르다.
  - 지하수위가 높거나 알칼리 토양에서는 생육이 부진하다.

수단그라스

수단그라스 종자

- **파종기**
  - 평균기온이 15℃ 이상이면 발아되므로 여름철 고온기에 적합하다.
- **파종량**
  - 4~5kg/10a 내외로 산파하거나, 2~3kg/10a 내외로 조파한 후 얕게 복토한다.
- **수확**
  - 고추재배지 윤작작물로 도입하여 녹비로 이용할 경우 출수 전 예취하여 환원한다.
  - 시설재배 염류집적에서 제염작물로 활용할 경우 60일 이상 재배하여 과잉염류를 충분히 흡수시킨 다음 절단하여 포장에서 제거한다.

# 5. 녹비작물에 의한 토마토 재배효과

토마토는 대부분 시설에서 재배가 되고 많은 비료성분을 요구하는 작물로 충분한 유기물을 공급해 줌으로써 많은 수량을 얻을 수 있다. 유기농 재배 농가가 직접 포장에서 녹비를 재배하여 토양에 혼입하여 재배하면 믿을 수 있는 유기물의 확보와 더불어 토양을 건전하게 유지하는 방법이 되기도 한다. 시설재배의 경우 지속적으로 작물이 재배되기 때문에 녹비작물을 재배하는 기간을 뺀다는 것은 그만큼 수익 면에서는 불리하다. 따라서 시설재배에서는 겨울 동안 녹비작물을 재배해서 작물을 재배하기 전에 토양에 혼입하는 작형을 취하는 것이 좋다. 시설에서는 녹비작물이 노지보다 생육속도가 빠르기 때문에 짧은 기간으로도 효과를 충분히 낸다.

- 시설재배의 경우 녹비작물은 전년도 재배가 끝난 후에 즉시 녹비작물 종자를 파종하여 보온 등으로 생육을 촉진시켜 유기물을 확보하는 것이 작물 재배시기를 앞당길 수 있는 방법이다.
- 겨울에 재배하는 호밀과 헤어리베치를 12월 중순에 파종하여 4월 중순에 토양에 혼입하였을 경우 각각 녹비작물의 생체량은 1,000m²당 호밀 6,000kg, 헤어리베치 2,400kg을 얻을 수 있었다.
- 혼파하는 경우에는 생장속도가 비슷한 작물을 선택하는 것이 좋으며, 생육속도가 다른 경우에는 빨리 생육하는 작물 위주로 생육하는 경우가 있다.
- 봄이나 여름에 파종이 가능한 녹비작물의 경우에는 토마토를 재배하고자 하는 시기를 목표로 하여 녹비작물을 재배하는 기간과 토양 혼입 후에 부숙하는 기간 등을 합한 기간을 고려하여 녹비종자를 파종한다.
  - 녹비작물 재배기간 40~50일과 부숙기간 2~3주를 합한 토마토를 재배하기 약 9주 정도 전에 녹비작물을 파종하여 재배한다.

| 표 5. 녹비작물 단독 및 혼합파종에 따른 생산량 | | | | | (단위: kg/10a, 생체중) |
|---|---|---|---|---|---|
| 녹비작물 종류 | 호10 : 헤0 | 호7 : 헤3 | 호5 : 헤5 | 호3 : 헤7 | 호0 : 헤10 |
| 호밀(호) | 6,000 | 5,800 | 3,900 | 3,900 | 0 |
| 헤어리베치(헤) | 0 | 570 | 610 | 650 | 2,400 |

호밀 파종구

헤어리베치 파종구

혼합 파종구

- 녹비작물은 적정시기에 트랙터 등으로 갈아엎어 부숙시키면 되는데 수분을 충분히 공급해 줄 경우 2~3주면 부숙이 완료된다.
- 녹비작물이 보유하는 비료성분을 계산하여 부족한 부분은 다른 유기질비료로 보충하여 준다.

녹비작물 토양 혼입 모습

녹비작물 토양 혼입 후 포장상황

- 네마장황의 경우 토양 혼입 후 토마토를 재배할 때 관행재배구보다 뿌리혹선충의 밀도가 상당히 낮아진 것을 알 수가 있었고, 선충의 증식속도도 낮아지는 것으로 알려져 있다.

표 6. 녹비작물 종류에 따른 뿌리혹선충 발생

| 녹비작물 종류 | 네마장황 | 하우스솔고 | 관 행 |
| --- | --- | --- | --- |
| 선충밀도(마리/300g) | 250 | 560 | 568 |

- 토마토를 재배하는 시기와 품종에 따라서 약간의 변이는 있겠으나 녹비작물을 토양혼입함으로써 토양을 건전하게 유지하여 토마토의 연작장애를 크게 경감시키는 효과를 나타내는 것으로 보인다.

표 7. 녹비작물의 토양혼입에 의한 토마토 수량

| 구 분 | 호7 : 헤3 | 호3 : 헤7 | 호5 : 헤5 | 호10 : 헤0 | 호0 : 헤10 | 무처리 |
|---|---|---|---|---|---|---|
| 주당과수 (개/주) | 12.0 | 11.5 | 11.2 | 10.7 | 11.0 | 10.4 |
| 1과중(g/개) | 203 | 201 | 190 | 195 | 189 | 192 |
| 수량 (kg/10a) | 4,043 | 3,842 | 3,534 | 3,478 | 3,465 | 3,330 |
| 비상품과율 (%) | 14 | 10 | 12 | 14 | 20 | 17 |

※ 호: 호밀, 헤: 헤어리베치

수확기의 토마토 생육 상태

토마토 착과 모습

# V. 퇴비

## 1. 퇴비 개요

### ✚ 유기농 재배지 퇴비 이용

- 퇴비사용의 목적은 농경지의 지력을 유지 보전하고 양질의 농산물을 생산하기 위함이다.
- 퇴비는 안정적인 작물생산을 위한 필요 불가결한 농자재이며 질 좋은 퇴비의 사용은 토양의 물리성, 화학성 및 미생물상을 개선시킨다.
- 잘 만들어진 퇴비는 부식 함량이 많고 양분 용탈을 억제하며 양분을 서서히 방출하여 작물에 공급하여 준다.
- 토양의 조건과 퇴비의 성분에 따라 투입하는 양은 0.5~1.5톤/10a가 될 수 있고, 작물 재배 전 토양에 처리하여 경운하는 것이 좋다.

### ✚ 퇴비화의 중요 인자

- C/N율
  - 퇴비화 과정 중 탄소는 미생물의 에너지원으로 질소는 영양원으로 사용되며 퇴비화에 적합한 C/N율은 25~30 정도이다.
  - C/N율이 이보다 낮거나 높은 경우 퇴비화가 진행되지 못하거나 지연된다.
- pH
  - pH는 퇴비화 과정 중의 물질변화에 영향을 미치는 중요한 요인으로 퇴비화에 적합한 pH는 6.5~8.0 정도로 대부분 퇴비원료의 pH도 이 범위에 있다.

- pH가 지나치게 높은 경우는 암모니아 휘산에 따른 질소 손실을 초래 하므로 이롭지 못하게 된다.

· **통기성**
  - 퇴비더미 내의 공기 공급은 호기성 미생물의 활성유지에 필수적이며 퇴비더미의 지나친 온도상승을 억제하는 역할을 한다.
  - 혐기상태를 방지하여 양질의 퇴비를 생산하기 위해서는 최소 2주에 한 번씩 뒤집어 주어 통기성을 향상시켜야 한다.

· **수분 함량**
  - 퇴비더미의 수분 함량은 퇴비화 속도를 지배하는 필수요소이다.
  - 퇴비화에 적합한 수분 함량은 50~65% 범위(손으로 쥐어 물이 스며 나오는 정도)이다.
  - 수분 함량이 40% 미만이면 분해속도가 저하되며, 65% 이상이면 호기성 미생물의 활성이 억제되어 퇴비화가 억제되고 악취를 일으키는 원인이 된다.

· **온도**
  - 퇴비화 과정 중 온도는 40℃ 이하의 중온대와 40℃ 이상의 고온대로 구분된다. 유기물 분해에 가장 효율적인 온도범위는 45~65℃이다.
  - 신선 유기물 퇴비화의 부수적인 효과 중 병원균 사멸과 잡초씨앗의 불활성화도 중요하기 때문에 고온대의 퇴비화 과정은 필요하다.

# 2. 퇴비 제조방법

## ✚ 퇴비 원료

- 퇴비 원료인 유기물은 가격이 저렴하면서 농가단위에서 구입하기 쉽고, 비료적 가치가 높은 유기물 자원이어야 한다.
- 유기퇴비 제조에 사용되는 유기물 원료로는 농산부산물, 수산부산물, 임산부산물, 각종 산야초 및 점토광물들이 있다.
  - 농산부산물: 볏짚, 팽화왕겨, 버섯 폐배지, 쌀겨, 깻묵, 대두박, 유채박, 피마자박 등
  - 임산부산물: 파쇄목, 나무껍질(수피), 대팻밥, 톱밥, 낙엽 등
  - 산야초: 갈대, 억새, 떡갈나무, 칡잎 등
  - 점토광물: 인광석, 황산칼리 고토, 석회석, 패화석, 백운석, 제올라이트 등
- 퇴비원료로 사용되고 있는 주요 유기물 자원별 이화학적 특성 및 성분 함량은 (표 8)과 같다.

표 8. 주요 유기물 자원별 이화학적 특성 및 성분함량(건물 기준)

| 유기물원 | pH | EC (dS/m) | OM (g/kg) | T-N (%) | C/N율 | $P_2O_5$ (%) | $K_2O$ (%) |
|---|---|---|---|---|---|---|---|
| 볏 짚 | 6.4 | 1.86 | 893 | 0.67 | 77 | 0.28 | 0.89 |
| 파쇄목 | 6.3 | 2.36 | 930 | 0.12 | 450 | 0.03 | 0.39 |
| 수 피 | 4.6 | 0.51 | 908 | 0.31 | 170 | 0.52 | 0.73 |
| 톱 밥 | 4.9 | 0.42 | 939 | 0.08 | 680 | 0.12 | 0.19 |
| 폐배지 | 4.9 | 3.18 | 926 | 1.25 | 43 | 0.69 | 0.47 |
| 유 박 | 5.6 | 2.95 | 877 | 6.50 | 7.8 | 3.01 | 1.36 |
| 쌀 겨 | 6.1 | 3.47 | 907 | 2.25 | 23 | 4.31 | 2.57 |
| 돈 분 | 6.1 | 17.28 | 782 | 2.25 | 20 | 3.28 | 1.08 |

| | | | | | | | | |
|---|---|---|---|---|---|---|---|---|
| 산야초 | 갈 대 | 5.7 | 9.63 | 895 | 2.84 | 18 | 3.02 | 1.76 |
| | 억 새 | 6.0 | 11.40 | 922 | 3.58 | 15 | 1.87 | 1.84 |
| | 칡 잎 | 6.2 | 9.48 | 916 | 2.86 | 19 | 0.37 | 2.37 |
| | 떡갈나무 | 4.3 | 6.64 | 929 | 2.37 | 23 | 0.88 | 1.60 |

## ✚ 퇴비 제조방법

- 유기퇴비 제조 원료는 유기물 함량이 높고 구입이 용이한 볏짚, 파쇄목, 수피, 대팻밥, 톱밥 등을 주재료로 하고, 질소 함량이 높은 유박, 쌀겨, 깻묵 등을 부재료로 혼합하여 사용함으로써 양질의 퇴비 생산이 가능하다.

- 예전의 유기퇴비 제조방법은 농가에서 발생되는 두엄이나 농산 부산물 등을 퇴비장에 쌓아두고 부숙시켜 다음 해 농사에 사용하던 전통적인 퇴비화 방식이었다.

- 최근에는 이를 개량하여 퇴비장 바닥은 콘크리트, 지붕에는 비가림 시설, 바닥은 공기를 공급할 수 있는 통풍시설을 설치한 간이 퇴비화 시설을 이용하고 있다.

- 퇴적식 퇴비화 방법의 가장 개량된 형태는 퇴비화 장치 폭 2.5m×길이 3.8~5m×높이 2m의 시설을 하고 바닥에 공기공급을 위한 통기장치를 설치한 형태이다.

- 고정 통풍식 퇴비화시설의 장점은 시설규모의 가감이 가능하고 별도의 교반시설이 불필요한 점이다.

- 단점은 퇴비더미를 교반하지 않기 때문에 퇴비더미 내부와 외부의 부숙도 차이가 생기며, 특히 공기와 직접 접촉된 하부는 부숙이 완료되기 전에 건조되어 부숙이 일정치 못한 점이 있다.

퇴비제조 전경                  퇴비 뒤집기 작업

## ✚ 퇴비 부숙 단계

### ・ 초기단계

- 중온성 세균과 사상균이 유기물 분해에 관여한다.

- 유기물이 분해되면서 퇴비온도가 50℃ 이상으로 상승한다.

### ・ 지속단계(고온단계)

- 퇴비의 분해가 진행됨에 따라 재료의 C/N율(탄질률)은 안정한 상태
  로 낮아지며 부숙이 진행됨에 따라 퇴비 고유의 냄새를 띠게 된다.

- 퇴비의 색깔은 원료에 관계없이 퇴비가 완료되면 암갈색 내지 흑갈색
  으로 전환된다.

### ・ 숙성단계

- 고온성 미생물에 의해 이분해성 유기물의 분해가 완료되면 난분해성
  유기물만 남아 분해속도가 느려지고 퇴비더미 온도도 40℃ 이하로
  낮아진다.

- 이때 주로 방선균이 활동하며 난분해성 유기물인 리그닌 등이 증가
  한다.

## ✚ 퇴비화 기간

- 가축분 퇴비는 부재료로 이용한 재료의 특성과 관계없이 3개월 이상의 퇴비화 기간을 거치는 것이 안전하다.
- 퇴비원료는 퇴비화 후 무게가 감소하는데, 가축분(우분, 계분)을 톱밥과 혼합하여 퇴비화할 경우 부숙 3개월 후에 약 30%가 감소되고 유기물은 30~40%가 분해된다.
- 안정화에 필요한 기간은 자연조건에서 퇴적하여 퇴비화되는 경우 약 6개월이 필요하다.

# 3. 퇴비의 부숙도 검사 요령
## (표준영농교본-89, 2002)

- **관능검사**
  - 형태: 부숙이 진전됨에 따라 형태의 구분이 어려워지며 완전히 부숙되면 잘 부스러지고 원재료를 식별하기 힘들다.
  - 색깔: 종류에 따라 다양하나 보통 검은색으로 변하고 퇴비더미 속(혐기상태)에서 부숙된 것은 누런색을 띤다.
  - 냄새: 종류에 따라 다양하나 볏짚이나 산야초 등은 완숙 시 퇴비 고유의 향긋한 냄새가 나고 가축분뇨는 악취가 사라진다.
- **온도에 의한 측정방법**
  - 퇴비 제조 시 퇴비 온도가 60℃ 전후까지 급속히 상승한 후 떨어지면 뒤집기를 한다. 이와 같이 뒤집기를 하여도 퇴비의 온도가 변화하지 않고 외기의 온도와 거의 같은 상태가 부숙이 완료된 상태라고 할 수 있다.

- **돈모 장력법**
  - 돈분을 이용해 퇴비 제조 시 그중 함유된 돈모의 장력을 통해 퇴비 부숙도를 판정한다.
  - 미숙: 잘 끊어지지 않는다.
  - 중숙: 힘 있게 잡아당기면 끊어진다.
  - 완숙: 돼지털의 탄력이 없어지고 잡아당기면 쉽게 끊어진다.

표 9. 볏짚 및 산야초 등을 이용한 자가 제조 퇴비 부숙도 판별법

| 구 분 | 미 숙 | 중 숙 | 완 숙 |
|---|---|---|---|
| 색 깔 | 황갈색 | 갈 색 | 암갈색 |
| 탄력성 | 없 음 | 거의 없음 | 다소 있음 |
| 악 취 | 많 음 | 다소 있음 | 없 음 |
| 손촉감 | 거 침 | 다소 거침 | 부드러움 |
| 강 도<br>(손으로 비틀 때) | 안 끊어짐 | 잘 끊어짐 | 쉽게 끊어짐 |

※ 완숙 후에는 수분 함량 40~50%(손으로 꼭 쥐어서 물기가 배 나오지 않는 정도)

# 4. 퇴비의 구분

- **유기질 비료의 종류**
  - 유기질 원료를 사용하여 질소, 인산, 칼리 성분을 일정량 이상 보증하는 비료

표 10. 유기질 비료의 공정규격

| 비료의 종류 | 함유하여야 할 주성분의 최소량(%) | 함유할 수 있는 유해성분의 최대량 | | 그 밖의 규격 | 비 고 |
|---|---|---|---|---|---|
| 채종유박, 면실유박 깻묵, 낙화생유박, 아주까리유박, 기타 식물성 유박 | 질소전량: 4 인산전량: 1 칼리전량: 1 | 비 소<br>카 드 뮴<br>수 은<br>납<br>크 롬<br>구 리<br>니 켈<br>아 연 | 50mg/kg<br>5mg/kg<br>2mg/kg<br>150mg/kg<br>300mg/kg<br>300mg/kg<br>50mg/kg<br>900mg/kg | | 품목마다 해당원료에 한함 |
| 혼합유박 | 질소, 인산 또는 칼리전량의 2종 이상의 합계량: 7 | 비 소<br>카 드 뮴<br>수 은<br>납<br>크 롬<br>구 리<br>니 켈<br>아 연 | 50mg/kg<br>5mg/kg<br>2mg/kg<br>150mg/kg<br>300mg/kg<br>300mg/kg<br>50mg/kg<br>900mg/kg | | 1. 이상 기재한 유박, 2종 이상이 혼합된 것을 말함<br>2. 질소, 인산, 칼리 각각의 성분량을 보증 |

• 부산물 비료

- 농업, 임업, 축산업, 수산업 등을 영위하는 과정에서 나온 부산물

표 11. 부산물 비료의 공정규격

| 비료의 종류 | 규격의 함량 (%) | 함유할 수 있는 유해 성분의 최대량 | | 그 밖의 규격 | 비 고 |
|---|---|---|---|---|---|
| 퇴 비 | 유기물: 25 | 건물중에 대하여<br>비 소<br>카 드 뮴<br>수 은<br>납<br>크 롬<br>구 리<br>니 켈<br>아 연 | 45mg/kg<br>5mg/kg<br>2mg/kg<br>130mg/kg<br>250mg/kg<br>400mg/kg<br>45mg/kg<br>1,000mg/kg | 1. 유기물대 질소의 비 50 이하인 것<br>2. 건물중에 대하여 염분(NaCl): 2.0% 이하<br>3. 수분($H_2O$): 55% 이하<br>4. 부숙도는 종자 발아법의 경우 무 발아지수 70 이상 | 제조 시 별표 5의 원료에 한하여 사용하여야 한다. |

# VI. 시비 관리

## 1. 시비 관리 개요

- 시설재배지는 노지토양에 비하여 양분의 유실이 적고 축적되는 양분이 많기 때문에 토양 중의 양분량을 고려하여 시비량을 산정하여야 한다.
- 시설에서는 과다시비에 의한 토양염류(EC)가 문제가 되는데, 이 토양염류는 주로 토양 중에 존재하는 질산태 질소($NO_3$-N)와 상관관계가 매우 높다.
- 질산태 질소는 과다 시 염류과잉에 따른 수량 감소의 원인이 되기도 하나 작물에 없어서는 안 될 필수원소인 질소(N)로 이에 대한 적정 시비관리 기준설정이 필요하다.
- 퇴비(볏짚, 산야초, 톱밥 등)의 공급은 토양의 통기성과 보수·보비력 등 토양 개량효과가 뛰어나므로 매년 투입하도록 한다.

표 12. 유기물원에 따른 토양 물리적 개량효과

| 구 분 | 돈 분 | 채종유박 | 볏 짚 | 녹 비 | 헤어리베치 |
|---|---|---|---|---|---|
| 양이온치환량 | ○ | △ | ○ | × | × |
| 유기물 | ○ | ○ | △ | △ | × |
| 내수성입단 | △ | △ | ○ | ○ | △ |
| 수분보유력 | × | △ | ○ | △ | △ |
| 토양경도 | △ | △ | △ | ○ | △ |
| 통기성 | × | × | ○ | × | △ |
| 종합평가 | △ | △ | ○ | ○ | △ |

※ 양호: ○, 보통: △, 미약: ×

# 2. 시비 관리 기준

- 토마토의 표준시비량은 성분량으로 질소-인산-칼리가 각각 20.4-10.3-12.2kg/10a이지만, 정식 전에 시·군 농업기술센터에 토양 분석을 의뢰하여 시비추천을 받는 것이 중요하다고 할 수 있다.
- 혼합유박과 볏짚을 이용한 시비관리 기준은 다음과 같이 산정될 수 있다.

표 13. 토양의 질소 양분량에 따른 혼합유박과 볏짚의 시용기준량 평가

| 토양질소 함량 | 220mg/kg 이상 | 220~160mg/kg | 160mg/kg 이하 |
|---|---|---|---|
| 시비수준 (300평 기준) | 볏 짚 | 혼합유박 150~200kg + 볏짚 | 혼합유박 300~400kg + 볏짚 |

**Part 04**

•

재
배
관
리

# I. 생리적 특성

## 1. 토마토의 생리

- 토마토는 영양 감응형으로 광이 강하고 저온일 때 충분한 양분을 공급받으면 꽃눈분화가 촉진되고 그렇지 않을 때는 영양생장이 촉진된다.
- 꽃은 보통 제8~9절 잎 사이에 제1화방이 착생하고, 이후부터 3절엽 간격으로 착생한다.
  - 환경 또는 영양상태 등으로 조금 빨리 또는 늦게 착생하기도 한다.
- 토마토는 자가화합성으로 자가수정률이 96~99.5%로 매우 높다.
- 꽃의 수정 조건은 야간온도가 13~24℃ 사이, 주간온도가 15.5~32℃일 경우이다.
- 정상적인 경우 개화 후 30일경까지 과실이 비대하고 40~50일경 수확이 가능하지만 환경이 불량할 경우 개화 후 70~90일이 지나야 수확이 가능하다.

## 2. 온도

- 주야의 온도 교차가 있는 것이 착과비대와 과실생산에 알맞다.
- 오전 중에는 25~28℃로 관리하여 광합성을 최대로 할 수 있게 하며, 오후에는 23~25℃로 낮추어 저온피해에 대비하도록 한다.

- 야간에는 15~17℃ 정도로 유지한다. 15℃ 이하가 되면 생육이 급격히 떨어지고 10℃ 이하에서는 생육이 정지한다.
- 외부온도가 높을 경우 낮 시간에 일시 차광이나 환풍구, 환기팬을 설치하여 온도를 낮추어 주어야 한다.
- 양호한 생육과 양질의 과실생산을 위해 지온은 최저 13℃ 이상을 유지하는 것이 필요하다.

## 3. 광

- 토마토는 광포화점이 7만 Lux로 강한 광선을 요구하는 작물로서 최소한 1~3만 Lux가 되어야 정상생육이 가능하다.
- 약광에서는 착과가 불량하며 과실의 생육도 좋지 않다.
- 토마토는 오전에 광합성이 많이 일어나므로 피복물이나 이중비닐은 아침 일찍 제거하는 것이 유리하다.

표 1. 토마토 낙화에 미치는 조도의 영향 (단위: %)

| 광도(%) \ 화방 | 제1화방 | 제2화방 | 제3화방 | 평 균 |
|---|---|---|---|---|
| 100 | 10.8 | 11.7 | 23.1 | 15.2 |
| 75 | 30.2 | 45.5 | 38.7 | 38.6 |
| 50 | 38.9 | 68.2 | 81.1 | 62.9 |
| 25 | 63.8 | 74.9 | 91.6 | 77.8 |
| 1 | 73.5 | 100.0 | 100.0 | 91.1 |

출처: 토마토 표준영농교본

## 4. 수분

- 토마토 생육에 적합한 공기습도는 65~80% 정도로 60% 이하에서는 부족현상이 일어난다.
- 토마토의 줄기와 잎은 90%가 수분이고 과실도 95%까지 수분이므로 다수확을 위해서는 토양으로부터 다량의 수분이 필요하다.
- 토마토는 침수에 대한 적응력이 없고 산소 부족에 약하여 토양공기 중 산소 농도 2% 이하에서는 말라죽기 쉽고 5% 이상에서 생육이 좋다.
- 점적관수와 멀칭을 함께 사용하면 하우스 내 습도를 높이지 않고도 토양수분을 적당하게 유지할 수 있다.
- 관수량을 증가시키면 강한 초세가 유지되나 지나치면 이상줄기와 역과 발생이 많아지고 당도가 떨어진다.
- 관수량는 보통 오전 중에 이루어지는 것이 좋으나 기온이 높을 경우 오후에 하는 것이 유리하다.
- 물은 3일 간격으로 주는 것이 평균적이고, 1회 물 주는 양은 1~52mm 범위로 한다.

# Ⅱ. 재배기술

- 토마토는 중일성 작물로 일장과 무관하게 연중재배가 가능하나 유기농가에서는 병해충 및 영양공급 문제로 6단 정도의 저단재배를 주로 하고 있다.

- 우리나라의 일반토마토 재배 작형은 촉성재배, 반촉성재배, 조숙재배, 노지억제재배 등으로 다양하게 분화되어 있다.
- 토마토는 저온에서도 어느 정도 생장하나 겨울을 넘기게 되는 촉성재배와 억제재배는 시설 내에서 난방기에 의한 가온으로 생산비가 상승하며, 광과 온도, 습도 환경의 악화로 병해충의 발생이 우려되므로 유기재배에는 불리한 작형이다.
- 토마토 유기재배는 봄, 가을의 유리한 날씨를 이용한 작형이 적당하며, 중부 이남에서는 혹한기를 피하여 보온 위주의 시설재배를 할 수도 있다.

**일반토마토 주요 재배작형**

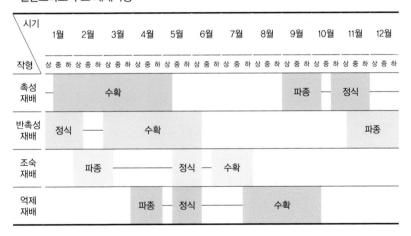

| 작형 | 1월 | 2월 | 3월 | 4월 | 5월 | 6월 | 7월 | 8월 | 9월 | 10월 | 11월 | 12월 |
|---|---|---|---|---|---|---|---|---|---|---|---|---|
| 촉성재배 | 수확 | 수확 | 수확 | 수확 | 수확 | | | | 파종 | 정식 | 정식 | |
| 반촉성재배 | 정식 | | 수확 | 수확 | 수확 | 수확 | | | | | | 파종 |
| 조숙재배 | | 파종 | 파종 | | 정식 | 수확 | 수확 | | | | | |
| 억제재배 | | | | 파종 | 정식 | | | 수확 | | | | |

# 1. 시설재배의 특성과 일반관리

- 우리나라의 토마토는 대부분 하우스 등 시설에서 재배하고 있다.
- 토마토 재배시설은 설치시기와 지역에 따라 다양한 형태가 보급되어 있으나 아연도금 파이프로 아치형 하우스 골조를 세우고 폴리에틸렌 필름으로 피복한 것이 대부분이다.
- 새로 하우스를 설치할 때는 농촌진흥청에서 보급한 자동화 하우스(1-2W형)의 표준설계도를 따른다.
- 가온을 하지 않고 보온시설 위주로 재배하기 위해서는 연질비닐필름, 부직포, 알루미늄 스크린 등으로 수평커튼을 설치하고, 섬피 등에 의한 외부보온과 다중터널도 설치한다.

## ✚ 정식준비

- 시설재배는 재배기간이 길기 때문에 퇴비와 유기물 사용량을 늘리며 정식시기에 맞추어 15일 이전에 시용하고 흙과 잘 섞어 주어 가스가 발생되지 않도록 주의한다.
- 시설재배 시에는 노지재배보다 약간 넓게 심는 것이 도장을 막고 관리도 쉬우므로 두 줄 재배로 160cm×40cm 내외로 조절한다.

## ✚ 아주심기와 초기관리

- 시설재배의 정식기는 저온기이므로 뿌리의 발육을 돕고 초기생육을 촉진하기 위하여 투명비닐로 미리 멀칭하여 지온을 확보한다.
- 정식 후 하우스 안의 온도가 18℃ 이상 유지되도록 야간에는 2중터널과 섬피를 덮어주고 온도관리에 유의한다.
- 토마토는 뿌리가 깊게 뻗고 건조에 강하므로 물 주는 양과 간격을 조절한다.

## ✚ 유인과 정지 · 적엽

- 우리나라 재배 토마토는 주로 무한형으로 주지 1본에 착과시키고 적절한 절위에서 적심하는 직립유인법을 사용한다.
- 저단 단기재배에서는 대나무 등 고정식 지주대를 사용하기도 하지만 높은 하우스에서는 골재를 이용하여 수평으로 와이어를 설치하고 줄 유인하는 것이 좋다.
- 주지의 잎마다 나오는 곁순은 가능한 한 빨리 따 주며, 수확할 화방 위 2~3잎을 남기고 적심한다.
- 수확한 화방 밑의 늙은 잎은 순차적으로 따 준다. 저온기 재배에서는 1화방당 4~5개의 과일을 남기고 솎아 준다.

하우스 골조를 이용한 줄유인 재배모습

## ✚ 환경관리

- 토마토는 강한 광선을 좋아하는 작물이므로 투광성이 좋은 필름을 사용하고 그늘을 줄이는 자재를 사용한다.
- 시설 내는 태양광의 유무에 따라 낮에는 35℃ 이상까지 올라갈 수 있으므로 보온커튼 조절, 측창, 천장의 개폐로 적정온도를 유지한다.

## ✚ 착과증진

- 시설재배와 같이 바람이 거의 없고 습도가 높을 경우 토마토의 자가 수정이 잘되지 않으므로 인공수분을 해야 한다.
- 유기농업에서는 인공수분을 위해 수정벌을 활용하는데, 990m²당 벌 한 상자로 80% 이상의 착과율을 기대할 수 있다.

# 2. 전작기 재배

## ✚ 재배작형의 특징

- 가온 없이 재배하는 반촉성 재배작형으로 남부지방에서는 11월에 파종하여 다음 해 1월에 정식하나, 중부지역에서는 1월 상순에 파종하고 3월에 정식하며 일부 농가에서는 조금 더 늦게 정식을 하기도 한다.
- 11월에 파종할 경우에는 육묘기와 생육전기에 일사량이 적고, 일조시간도 짧은 혹한기에 해당하므로 광량에 의한 온도, 수분관리에 유의한다.
- 3월 이후 개화기와 착과기에는 기온, 일조량 등이 좋아지므로 환기에 의해 생육적온을 유지한다.

## ✚ 재배관리

- 저온기 정식에 대비하여 정식 10일 전부터 10℃ 전후의 저온에 건조하게 관리하고 정식 1~2일 전에는 충분히 관수한다.
- 정식 후 2중 터널에 섬피 등으로 보온하고, 기온이 상승하면 섬피 등 피복자재를 걷어내고 하우스 외피복만으로 보온하며 환기창으로 온도를 조절한다.
- 활착 후 2화방이 착과할 때에는 물 주는 양을 적게 하고 과일 비대기에는 관수량을 늘린다.
- 유인, 정지 등은 일반관리에 따른다.

## ✚ 재배 후 포장관리

- 휴한기인 여름철에 녹비작물을 재배하여 지력을 올리고 연작장애를 해소한다.
- 태양열 소독을 하여 병원균, 선충, 잡초종자의 밀도를 낮추어 준다.
- 가루이와 같은 해충이 발생했을 경우 주변의 토마토 잔재물과 잡초를 제거해야 한다.

## 3. 후작기 재배

## ✚ 작형의 특징

- 후작기는 억제작형으로 여름철 기온이 낮은 고령지에서는 5월에 파종해서 7월 초에 정식하나, 평야지에서는 파종기를 늦추어 냉상육묘로 혹서기를 넘기고 정식한다.
- 육묘기의 야간 고온으로 인해 제1화방 착과절위가 올라가고 화방의

발육이 불량하며 꽃수가 적어지기 쉽다.

- 정식 후에도 도장하기 쉽고 배꼽썩음과 발생이 심하다.
- 11월 이후 생육후기에는 광선이 부족하고 기온이 낮아 착색이 불량하고 열과, 줄무늬썩음병 등 장해가 발생하기 쉽다.

**+ 재배관리**

- 고온기 육묘 시에는 차광망을 이용해 온도를 낮추고 과습하지 않게 환기에 유의한다.
- 정식 후에도 토양온도 상승을 막기 위해 볏집 등으로 토양표면을 멀칭하여 주고, 천창과 측창을 충분히 열고 환기한다.
- 고온기 정식이므로 활착 이후에는 관수량을 줄여 과번무를 방지한다.
- 수확 후기에는 기온이 낮고 일조량이 부족하므로 피복재를 이용하여 기온 10℃, 지온 13℃ 이상 되도록 한다.

# Ⅲ. 후기 양분 관리

## 1. 후기 양분 관리

- 토마토의 시설 내 재배에서 수확기를 연장하여 장기재배 할 때에는 웃거름을 주어 적정한 양분 상태를 유지한다.
- 토마토는 아주심기 6주 후부터 토양 내 양분을 급격하게 흡수하기 시작하여 15~16주까지 흡수율이 증가하다가 점차적으로 낮아지는

양분흡수 패턴을 보인다.

- 토양에 기비로 공급한 헤어리베치, 호밀 등의 녹비, 유박 등의 유기물 자재가 공급하는 비료성분은 아주심기 60일 이후에는 급격히 감소하므로 웃거름이 필요하다.

- 웃거름 시용시기가 너무 빠르거나 과다할 경우에는 토마토의 생장을 과도하게 영양생장으로 이끌어 과실의 착과와 성숙에 불리할 수 있으므로 토양의 양분상태와 토마토의 생육상태를 면밀하게 관찰하여 적시에 적량을 주어야 한다.

- 시설 내 재배 시 관수시스템을 이용하여 액비 형태로 웃거름하는 것이 편리하다.

## 2. 액비의 제조와 활용

- 액비 제조용 유기물 재료는 쌀겨, 유채박, 피마자박, 대두박 등이 사용되고 있다.

- 유채박을 요구르트 또는 목초액과 혼합하여 일주일간 발효시켰을 때 질소 함량은 약 0.2%였다. 인산 함량도 약 0.2%였고, 칼리 함량은 0.01% 정도였다.

- 400L 배양통에 물 200L를 채우고 유박 20kg(10%)과 당밀 4kg(2%)을 넣고 70℃에서 한 시간 소독한 후, 유용한 고초군 4L(2%)를 접종하고 30℃에서 일주일간 폭기배양 했을 때 무기태 질소 함량은 약 0.1%, 전질소 함량은 약 0.2%였다.

- 대두박 50%와 쌀겨 50%를 혼합하여 넣고, 재료 중량당 4배량의 물을 희석하여 100일 정도 상온에서 발효시켰을 때 질소 함량은 약

0.4%였다.

- 제조된 액비는 10배 이상 희석하여 100ppm 내외의 농도로 관비하는 것이 좋다.
- 자가제조한 액비를 사용할 때에는 농업기술센터에 성분량 분석을 의뢰하여 액비 과용으로 토양 중에 집적되지 않도록 주의한다.
- 토마토 유기재배를 위한 표준 액비제조법이 아직 확립되지 않았으므로 포장에 맞게 조절하며 전문가의 조언이 필요하다.

**Part 05**

병해충 잡초 및 생리장해

# I. 병해 관리

## 1. 잎곰팡이병(Leaf Mold)

비가 자주 오고 습한 날씨가 계속되면 심하게 발생하는데, 특히 봄철 (3~5월)과 가을철(9~10월)에 시설 토마토에 피해가 크며, 심할 경우 병이 걸린 잎이 80%가 넘는 등 큰 피해를 주기도 한다. 하지만 밀식을 피하고 충분히 환기를 시켜 다습하지 않도록 환경을 조절한 포장에서는 피해가 적다.

### ✚ 병원균 및 병징(피해 증상)

- 불완전균에 속하는 곰팡이 *Fulvia Fulva*에 의해 병이 발생한다.
- 이 병원균은 균의 계통분화가 매우 심한 균으로 알려져 있다(저항성 품종의 반응이 균의 계통에 따라 달리 나타날 수 있다).
- 병원균의 생육온도 범위는 5~30℃이고, 발육 적온은 20~25℃이다.
- 처음에는 잎의 표면에 흰색 또는 담회색의 반점으로 나타나고 진전되면 잎 뒷면에 담갈색의 병반이 형성되는데, 병반에는 갈색의 곰팡이(분생포자)가 융단처럼 있는 것을 볼 수 있다.

### ✚ 발생 생태

- 토마토에만 발생하며 주로 잎에 발생한다.
- 병든 잎이나 종자 등에서 월동하여 1차전염원이 되나, 시설재배에서는 병원균이 각종 농자재에 붙어 월동하기도 한다. 2차 전염은 병 포자가 바람에 의해 이동하여 잎의 기공을 통하여 침입해 발병된다.

- 하우스 내 온도가 20~24℃이며 밤과 낮의 온도차가 크고 상대습도가 90% 이상으로 과습하게 되면 급속하게 발병된다.

**✚ 관리 방법**

- 품종에 따라 저항성 반응이 크게 나타나므로 저항성 품종(도태랑 골드, 리코핀, 효용, 송알송알, 빅스타, 602, 슈퍼탑 등)을 선택하여 재배하여야 한다. 하지만 병원균의 종류(분화형)에 따라 저항성 반응이 달리 나타날 수 있기 때문에 주의하여야 한다.
- 잎곰팡이병은 충분히 환기를 시켜 다습하지 않도록 하는 것이 가장 중요하다. 시설하우스의 경우 환기장치를 설치하면 상대습도가 감소되고, 시설 내 환기로 인한 결로현상의 억제, 일교차의 감소 등으로 병원균의 포자 발아 등 생장에 불리한 환경이 조성되어 병 진전을 감소시킬 수 있다.
- 병든 잎은 신속히 제거하고 수확 후 이병잔재물이 포장에 남지 않도록 소각하거나 토양 깊이 매몰하도록 하여 포장을 청결히 유지한다.
- 토양 지면에는 멀칭하여 지표면의 습기가 지상부로 올라오지 못하도록 한다.

잎곰팡이병 병징

환기팬 설치 포장(좌)과 무설치 포장(우)

## 2. 잿빛곰팡이병(Gray Mold)

　　시설 내에서 20℃ 전후의 기온이 계속되고 습도가 높을 때 발생이 심하게 되며, 촉성 및 반촉성 재배시기인 12~5월에 주로 발생된다. 저온다습이 되지 않도록 온도관리와 환기에 유의하면서 재배하면 병 발생을 감소시킬 수 있다.

## ✚ 병원균 및 병징(피해 증상)

- 불완전균에 속하는 곰팡이 *Botrytis Cinerea*에 의해 병이 발생한다.
- 이 균은 토마토 이외에 딸기, 오이, 가지과 작물 등 주요 채소에 강한 병원성을 가지고 있는 기주범위가 매우 넓은 균이다. 균사의 생육적온은 20~25℃이나, 병 발생에 직접적으로 관여하는 분생포자 형성은 10~20℃ 범위의 저온에서 가장 왕성하다.
- 잎, 줄기, 과실 등 지상부 어느 부위에서도 발생한다. 잎에서 병반은 처음에는 작은 황갈색 반점이 나타나고, 점점 확대되어 크고 불규칙한 갈색 병반이 형성된다. 병반상에는 수많은 분생포자가 발생하며 회갈색을 띠고 솜털처럼 보인다.
- 미성숙한 과실에서는 병원균과 접촉된 지점부터 발병하기 시작하며 연갈색이나 백색의 연부 증상을 나타내고, 표피는 완전하게 보이나 내부조직은 흐물거리고 수침상을 나타낸다. 심하게 되면 병반상에 잿빛의 솜털과 같은 곰팡이가 피어나고 죽은 꽃받침 아래에 균핵이 나타날 수 있다.

## ✚ 발생 생태

- 이병잔재물에 균핵이나 균사체로 월동하며, 매우 넓은 기주범위를 갖고, 토양에 있는 다른 유기물에서 생존할 수 있기 때문에 1차 접종원은 다양하다. 1차 전염으로 병환부상에 형성된 분생포자는 공기전염성으로 바람에 날려 주위의 식물체로 비산하거나, 빗방울에 의해 작물 표면으로 전반되는데 이렇게 시작되는 2차 전염에 의하여 병 발생이 확산된다.
- 촉성, 반촉성 재배작형에서는 주로 저온기에 작물이 재배되고 있고 통풍·환기가 어려우므로 자연히 저온다습의 상태가 되기 쉬워 이

병의 발생에 적합한 환경이 된다. 특히 시설 내의 기온이 15℃ 내외의 저온이고, 시설 내의 비닐천장에 이슬이 맺힐 정도의 포화습도 상태가 오래 지속되면 이 병의 발생은 급격해진다.

## ✚ 관리 방법

- 현재까지 저항성 품종은 없는 것으로 알려져 있다.
- 가장 중요한 것은 접종원이 될 수 있는 이병 잔재물 등의 제거로 병원균의 감염을 최소화하고 포장위생을 철저히 하는 것이며, 밀식에 의한 통풍과 투광불량이 습도를 높이는 중요 원인이 될 수 있으므로 적당한 재식밀도를 유지하여 작물 생육에 적당한 공간이 확보되도록 하여야 한다.
- 일부 농가에서 병에 감염된 과실 등을 식물체로부터 따내어 시설 내 토양표면에 그대로 방치하여 둔 경우를 종종 보게 되는데 이것은 오히려 방치한 과실의 병징에서 포자를 더 많이 형성하게 만드는 원인이 되므로 반드시 비닐봉지 안에 넣어서 시설 밖으로 가지고 나와 제거하여야 한다.
- 시설재배 시 저온다습한 환경을 막을 수 있도록 환기팬이나 히터와 같은 공조시설을 이용하여 제습과 함께 온도를 너무 낮지 않게 관리하는 것이 필요하다.
- 작물의 측지를 전정할 때 발생하는 상처로 인하여 병원균이 감염되지 않도록 주의하여야 한다.
- 등록되어 있는 미생물농약(씰러스, 에코스마트)을 병 발생 초기에 처리한다.

잿빛곰팡이병 병징

## 3. 흰가루병 (Powdery Mildew)

시설 내가 건조하고 20~25℃ 내외가 되면 발생이 심하다. 연중 발생되나 주로 3~6월과 9~10월에 발생이 많다. 시설 내가 건조하지 않도록 관리하고 예방적으로 난황유와 같은 유기농자재를 처리하면 발생을 감소시킬 수 있다.

### ✚ 병원균 및 병징(피해 증상)

- 진균계 자낭균문에 속하는 *Leveillula Taurica*, *Golovinomyces Cichoracearum* 두 개의 곰팡이에 의해 병이 발생한다.
- 두 균 모두 자낭포자와 분생포자를 형성하며 살아 있는 식물체에서만 기생생활을 한다.
- *G. Cichoracearum*은 외부 기생균으로 균체가 표면에 노출되어 있다. 병징은 잎에서 처음에 흰가루가 불규칙한 모양으로 나타나고, 진전하면 잎 전체가 밀가루를 뿌려 놓은 것 같은 증상이 나타난다.

최근 흰가루병은 주로 이 균에 의한 발생이 심각하다.

- *L. Taurica*에 의한 흰가루병은 일반적인 흰가루병과 달리 병징이 불분명하다. 일반적인 병징은 잎의 앞면에 황갈색이나 황백색의 병반이 불규칙 다각형으로 형성되며, 잎의 뒷면에 분생포자가 생기며, 고추흰가루병균과 같은 병원균이다.

## ✚ 발생 생태

- 주로 서늘하고 공기습도가 낮은 시기(건조한 기후 조건)에 발생이 심해진다.
- 병원균은 자낭각 또는 균사상태로 이병 잔재물에서 월동하여 1차전염원이 되는 것으로 알려져 있으며, 2차전염원은 분생포자의 형태로 공기 중에 비산 전파된다.
- 연중 발생하고 있으나 주로 3~6월과 9~10월에 발생이 많다. 발병온도는 15~28℃이며, 최적온도는 25℃ 전후이다.

## ✚ 관리 방법

- 시설재배의 경우 너무 건조하지 않도록 관리하고 통풍과 환기가 원활하도록 재배환경을 개선하면 흰가루병 발생을 줄일 수 있다.
- 난황유를 병 발생 초기에 처리하면 흰가루병을 방제할 수 있다(병원균의 밀도 증가가 빠르므로 발생 전에 예방적으로 살포하는 것이 더 효과적이다).
- 병든 잎이나 잔재물은 즉시 소각하거나 매몰하여 전염원의 밀도를 낮추어야 한다.

흰가루병 병징

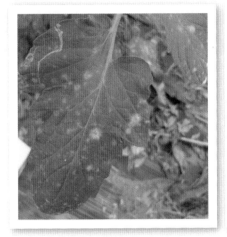

## 4. 풋마름병 (Bacterial Wilt)

전형적인 토양전염병으로 7~8월에 걸쳐 비가 자주 오고 30℃ 이상의 고온이 계속되면 급성으로 발생한다. 일단 발병되면 방제가 어렵기 때문에 저항성 대목을 사용하거나 가지과 이외의 작물로 윤작하는 것이 바람직하다.

### ✚ 병원균 및 병징(피해 증상)

- *Ralstonia Solanacearum*이라는 그람음성세균의 침입에 의해 발생된다.
- 병원균은 감자, 땅콩, 가지, 고추, 담배 등 50종과 450종 이상의 많은 기주를 침해하여 병을 일으키며, 병원균은 생육적온이 35~37℃나 되는 고온성 세균이다.

- 초기에는 식물체의 지상부(잎과 줄기)가 낮에 시들었다가 흐린 날이나 아침·저녁으로는 회복되는 증상이 나타나다가 5~7일 후에는 급속히 전체적으로 시들어 고사한다.
- 병든 줄기나 뿌리를 잘라 보면 도관부는 갈변되어 있으며, 이런 경우 줄기나 뿌리를 물에 담그면 백색의 세균이 흘러나오는 것을 볼 수 있다.

**✚ 발생 생태**
- 병원균은 토양 중에 2~3년간 생존하는 전형적인 토양세균으로 토양 깊이 뻗어 있는 잡초의 뿌리 근처나 토양 내 매몰된 식물체의 잔재물에서도 생존 및 월동이 가능하다.
- 토양 내 수분이 많아지고 온도가 높아지면 병원균이 토마토의 뿌리상처를 침해하여 풋마름증상을 일으킨다.
- 저온기 때보다 고온기인 6~10월에 많이 발생하며, 7월부터 8월에 걸쳐 비가 자주 오고 30℃ 이상의 고온이 계속되면 급성으로 발생한다.
- 병원균은 관개수를 따라 이동 전염되며 배수불량, 뿌리의 상처 및 선충의 발생 등에 따라 많이 발생된다.

**✚ 관리 방법**
- 발생이 되면 방제가 어렵기 때문에 예방적 차원에서 관리를 철저히 하여야 한다(발병된 식물체는 즉시 뽑아 소각하거나 제거, 무병지에서 재배, 건전한 유묘 정식).
- 현재까지 실용적으로 풋마름병에 저항성인 품종은 알려져 있지 않으나 BF 홍진 101호와 같은 저항성 대목을 이용한 접목재배가 효과적이다.

- 한 번 발생한 포장에는 연작하면 계속 발생하므로 가지과(담배, 가지, 감자, 토마토 등) 이외의 작물로 3~4년간 돌려짓기를 한다
- 이미 발병된 포장은 태양열을 이용한 토양 소독을 하거나, 병원균이 담수상태에서 오래 생존하지 못하기 때문에 벼를 재배하면 병원균의 밀도를 감소시킬 수 있다.
- 병원세균의 증식에는 토양수분의 존재가 필수적이므로 관수나 침수 등에 의하여 토양수분이 과다하지 않도록 배수관리를 철저히 하여야 한다.
- 토양온도가 높지 않도록 짚 등의 피복자재로 멀칭하면 병원균의 증식을 억제할 수 있다.

풋마름병 병징

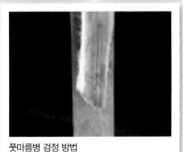

풋마름병 검정 방법

# 5. 토마토 황화 잎말림 바이러스병 (TYLCV)

토마토 황화 잎말림 바이러스(Tomato Yellow Leaf Curl Virus: TYLCV)는 70년 전 이스라엘에서 최초로 보고하였다. 매개충인 담배가루이에 의하여 전염되며, 감염 시 황화 잎말림, 덤불 위축증상을 나타낸다. 우리나라에서는 2008년 통영에서 처음 발생하였으며, 그 후 지속적으로 발생해 피해를 주고 있다.

**✚ 병원균 및 병징**

**• 전염**

　– 담배가루이에 의해서만 전파된다.

　– 담배가루이는 5~10분 이내에 바이러스를 획득하고 옮기며 감염된 담배가루이는 일생 동안 바이러스를 체내에 보유한다.

• 증상은 감염 후 2~3주경에 나타난다.

• 감염된 식물체 특히 토마토 묘와 감염된 담배가루이가 온실 내부는 물론 외부로 이동하여 확산시킨다.

**✚ 피해 증상**

TYLCV 감염증상

- 식물체가 심하게 위축되거나 생장이 정지된다.
- 잎에 달린 작은 잎은 가장자리부터 위쪽이나 아래쪽으로 말리고 어린잎은 옅은 노란색을 띤다.
- 잎은 정상 잎에 비해 종종 아래쪽으로 휘어지며 두꺼워지고 딱딱해지고 잎맥 사이의 색깔이 옅어지며 오글거린다.
- 꽃이 떨어지거나 열매가 작아지는 등 수량과 상품성이 떨어진다.
- 일부 방울토마토의 경우 열매가 뭉쳐 달리는 증상이 발생한다.

**✚ 관리 방법**
- 직접 육묘할 때에는 50메시 이하의 망실을 이용하고, 묘를 구입할 때는 담배가루이 알, 약충 및 성충이 있는지를 확인하여야 한다.
- 감염주가 발견되는 즉시 철저히 제거하여 후기 감염을 차단하여야 한다.
- 감염 하우스 내에서는 담배가루이 성충을 박멸한 후, 식물체를 소각하거나 3일 이내에 땅에 묻어야 한다.
- 온실 주변에서 방치 상태로 자라고 있는 토마토와 잡초는 반드시 철저하게 제거해야 한다.

# Ⅱ. 해충 관리

## 1. 가루이류

가루이류는 비닐하우스나 유리온실 등 시설재배지에서 연중 발생하며 토마토를 포함한 다양한 작물에 발생하여 피해를 주는 해충으로 온실가루이와 담배가루이가 있다.

### ✚ 형태 및 발생 생태

〈 온실가루이 〉

- 성충의 크기는 1.5mm 정도이며 몸색은 옅은 황색이지만 왁스가루로 덮여 흰색을 띤다.
- 알은 산란 직후는 흰색이지만 이후 검푸른색으로 바뀐다.
- 약충은 2령부터 고착생활을 하며 말령충은 타원형으로 등 위에 가시모양의 왁스돌기가 있다.
- 어린잎과 신초를 선호하여 알을 낳는다.
- 1령충은 이동하다가 2령충 이후 고착생활을 한다.
- 알에서 성충까지 약 3~4주가 소요되며 성충은 100개 정도의 알을 낳는다.

〈 담배가루이 〉

- 성충의 크기는 1mm 정도이며 몸색은 짙은 황색이다.
- 잎에 앉아 있을 때 날개를 편 선이 45도 각도를 이룬다.
- 발생 생태는 온실가루이와 비슷하나 성충은 작물의 위아래 구별 없이 작물 전체 잎 뒷면에 산란한다.

## ✚ 피해 증상

- 약충과 성충이 즙액을 빨아먹어 생장이 저해되고 배설물인 감로가 분비된 곳에 그을음병이 발생하여 광합성을 떨어뜨리고 상품성을 저하시킨다.
- 담배가루이의 경우 2차적으로 토마토 황화위축병, 담배잎말림병 등 바이러스병을 매개한다.

온실가루이 성충

담배가루이 성충

가루이에 의한 그을음 피해

## ✚ 관리 방법

- 가루이류가 토마토 온실에 접근하지 못하도록 시설의 출입구, 측창에 방충망을 설치하며, 황색점착트랩으로 예찰하여 유입 여부를 확인한다.
- 전작기에 가루이가 발생했던 작물체 잔재물을 철저히 제거 및 소독한다.
- 기생성 천적으로 온실가루이에 대하여 온실가루이좀벌이, 담배가루이에 대하여 황온좀벌, 담배가루이좀벌이 이용되며, 포식성 천적인 지중해이리응애는 두 종에 대하여 적용 가능하다.
- 발생 초기부터 난황유를 살포하였을 때 방제효과를 기대할 수 있다.
- 방제용 대형 황색점착트랩을 재배 초기에 200평당 40개 정도 이상 설치하였을 때 발생빈도를 상당히 낮출 수 있다.

## 2. 아메리카잎굴파리

아메리카잎굴파리는 사계절 모두 피해를 끼치며 다양한 작물을 기주로 하기 때문에 다른 포장에서 전염되기 쉽다. 또한 발육기간이 짧아 주의가 요구된다.

### ✚ 형태 및 발생 생태

- 발육단계는 알, 유충, 번데기, 성충으로 구분되며 성충의 몸길이는 2mm 정도이다.
- 유충은 잎 안의 굴속에 있으며 다 자라면 2mm에 이르고 몸색은 황색 내지 담황색이다.
- 온실에서는 연중 발생 가능하며 겨울철에도 밀도가 상당히 높다.
- 발육기간이 매우 짧아 알에서 성충까지 총 20일 이내이다.

### ✚ 피해 증상

- 유충이 토마토 잎 속을 파고 다니면서 굴을 만들기 때문에 광합성 능력을 떨어뜨린다.
- 피해가 심할 경우 조기낙엽을 유발한다.
- 성충은 잎에 구멍을 뚫고 흡즙하거나 산란하기 때문에 잎 표면에 작은 흰 반점들이 많이 생긴다.

잎굴파리 성충

잎굴파리 유충

잎굴파리 피해

### ✚ 관리 방법

- 창문과 출입구에 한냉사를 설치하여 성충의 침입을 차단하고 피해를 입은 묘는 정식하지 않는다.
- 노란색 끈끈이트랩을 설치하여 재배기간 발생을 확인하여 방제하도록 한다.
- 국내 자생천적으로는 굴파리좀벌과 굴파리민좀벌이 있으며 상업적으로 판매하는 종으로 굴파리고치벌, 굴파리좀벌 등을 이용할 수 있다.

## 3. 담배거세미나방

토마토 재배 시 밤나방과 해충이 침입하여 과실에 구멍을 내는 등 피해를 끼치는 경우가 많다. 그중 최근 담배거세미나방이 주는 피해가 커 발생이 많은 7~8월에 더욱 주의가 요구된다.

### ✚ 형태 및 발생 생태

- 알은 구형으로 납작하고 난은 덩어리로 형성되어 있으며 털모양의 인편으로 덮여 있다.

- 유충은 대개 암갈색이나 채색이 다양하고 다 자란 종령은 40mm 정도이다.
- 성충은 길이 15~20mm이고 회갈색으로 날개편 길이는 30~38mm 정도이다.

✚ 피해 증상
- 유충이 토마토 과실 속으로 파고 들어가 직접적인 피해를 준다.
- 일부 줄기를 가해하여 작업 중 연약 부위가 부러지기도 한다.

담배거세미 성충

담배거세미 유충 및 피해

✚ 관리 방법
- 유아등을 이용하여 성충을 유인하여 포살하고 방충망(망 크기: 0.5cm×0.5cm)을 이용해 외부로부터의 침입을 막는다.
- 페로몬 등으로 발생시기를 예찰하여 알 시기에는 난황유를 이용해 방제를 꾀하고 여린 유충시기에는 미생물농약(BT 수화제)을 이용하여 방제를 한다.
- 성페로몬이나 유아등은 나방의 밀도는 줄일 수 있으나 완전하게 방제하지는 못한다.

# 4. 고구마뿌리혹선충

## ✚ 형태 및 발생 생태

- 알에서 1령충으로 보내고 2령충에 뿌리고 침입한다.
- 암컷은 실모양으로 400~85㎛이며 수컷은 서양배 모양으로 800~1,400㎛로 육안으로 확인이 어렵다.
- 먹이가 충분하면 단위생식이 가능한 암컷으로 성장하기 때문에 단시간에 밀도가 급증한다.
- 30℃ 이상에서는 발육이 현저히 저하된다.

## ✚ 피해 증상

- 뿌리혹선충은 피해여부를 확인하기 어렵고 뿌리 속에서 생활하기 때문에 방제가 곤란해 예방이 중요하다.
- 뿌리혹선충의 피해가 일단 발생했던 농가는 태양열을 이용한 소독을 실시한다.
- 휴한기에 네마장황과 같은 녹비작물을 심거나 다른 작물과 윤작을 실시한다.

# Ⅲ. 생리장해

## 1. 배꼽썩음과

**➕ 발생 원인**

- 토양에 칼슘이 부족한 경우, 질소 또는 칼리질 비료가 너무 많거나 토양이 건조한 경우, 고온이 되어 식물체내 이동이 곤란한 경우 발생한다.

- 석회가 과실에 충분히 전류가 이루어지더라도 수산이 많이 형성되면 중화가 되지 않아 배꼽썩음과가 발생된다.

- 주요 원인으로는 염류농도(EC)가 높은 경우 많이 발생되고 질소질 비료를 과잉 시용하여 식물체가 과번무할 경우에도 이를 조장한다.

- 토양을 건조하게 관리하거나 칼리(K)를 다량 시용한 경우 길항작용으로 칼슘 흡수가 억제되어 발생한다.

- 온풍난방기나 가스난방기를 이용하여 가온할 경우 공중 습도가 낮아지고 고온과 환기불량으로 잎으로부터의 증산 작용이 저해될 때 발생하기도 한다.

**➕ 피해 증상**

배꼽썩음과 병징

## ✚ 방제 및 대책

- 칼슘이 부족한 토양에서는 정식하기 전에 석회를 충분히 주고 고온기에는 칼슘을 공급한다.
- 하우스 안의 온도가 올라가지 않도록 차광망 등을 씌워 주어야 한다.
- 여름철 지온이 높아지지 않게 비닐멀칭 위로 볏짚이나 산야초를 덮어주고 지중난방 시설을 이용하여 냉수를 순환시킨다.
- 적심을 하고 지나치게 착과시키지 않는다.
- 하이미스트 작동, 차광망 자동개폐 등으로 잎 온도를 낮추어 준다.

## 2. 창문과

## ✚ 발생 원인

- 육묘 시 꽃눈분화과정에서 5~7℃의 저온이나, 고온과 밀식에 의해 꽃눈의 발육이 불량할 때 발생한다.
- 질소질이 지나치게 많거나 토양수분이 많을 때 발생이 많아진다.
- 질소와 칼리가 과다하게 많거나 석회 붕소의 흡수가 나쁜 경우 발생이 조장된다.

## ✚ 피해 증상

- 과일의 꼭지에서 아랫부분까지 지퍼모양의 선이 생긴다.
- 증상이 심할 경우 선상에 구멍이 생겨 태좌 부분이 드러나 보인다.

창문과 병징

**✚ 방제 및 대책**

- 육묘기에 지나친 저온이나 고온이 되지 않도록 주의한다.
- 낮 기온은 20~30℃ 밤 기온은 10℃ 이상으로 유지한다.
- 질소질을 과다하게 공급하지 않는다.
- 상토가 과습하지 않도록 한다.
- 고온기 육묘 시 포기 사이를 넓혀 채광량을 높이도록 한다.

## 3. 인산결핍증상

**✚ 발생 원인**

- 온도가 낮으면 인산 흡수가 저해되므로 주로 저온기에 발생한다.
- 제주도와 같이 화산 회토의 토양에서 발생하기 쉽다.
- 토양 pH가 낮거나 뿌리의 발달이 불량한 토양에서 발생하기 쉽다.

## ✚ 피해 증상

- 대부분 저온기에 아래 잎이 자주색(가지색)으로 변하고 심하면 상위 어린잎까지 진전된다.
- 잎이 소형으로 되고 광택이 없으며 만져 보면 가랑잎과 같이 바스락 거린다.
- 과일이 작아지고 성숙이 지연되어 상품수량이 떨어진다.

인산결핍증상

## ✚ 방제 및 대책

- 저온기에 온도 특히 지온이 내려가지 않도록 주의 깊은 관리를 요한다.
- 육묘기나 정식 초기에 지온을 최저 18℃ 이상 높이고, 야간 온도는 12℃ 이상으로 유지시킨다.
- 인산 부족 토양(인산 20mg 이하/건토 100g)에서는 토양 개량을 겸해서 시용한다.

# 4. 칼슘(석회)결핍증상

**➕ 발생 원인**

- 토양 중에 칼슘이 부족한 경우 발생한다.
- 토양 중에 칼슘이 많아도 질소질 비료 또는 칼리질 비료가 너무 많거나, 토양이 건조한 경우에도 발생한다.
- 저온기보다 고온기에 발생이 많다.

**➕ 피해 증상**

- 작물 전체가 위축되고 어린잎이 소형으로 되며 노랗게 변한다.
- 생장점 부근 어린잎의 끝이 갈색으로 되고 일부 고사한다.
- 열매 꼭지 부분이 흑색으로 변하는 배꼽썩음과가 발생한다.

칼슘결핍증상

**➕ 방제 및 대책**

- 칼슘이 부족한 토양에서는 정식하기 전에 석회를 충분히 시용한다.

- 고온기에는 칼슘제를 주기적으로 엽면 살포한다.
- 하우스 내 온도가 올라가지 않도록 관리한다.

## 5. 칼리결핍증상

**✚ 발생 원인**

- 토양에 칼리 함량이 적은 경우나 생육이 왕성해서 과실 비대가 빠르게 될 때 흡수량이 공급량을 따라가지 못하면 발생하기 쉽다.
- 칼슘비료의 과용에 의해 길항작용으로 흡수를 하지 못할 경우에 발생한다.
- 토양은 사질토양에서 발생하기 쉬우며, 저일조 저온기에 발생하기 쉽다.
- 지온이 낮을 때 칼리 흡수가 힘들다.

**✚ 피해 증상**

- 생육이 비교적 빠른 시기에, 과실 비대기에 나타나기 쉬우며 이와 비슷한 증상으로 가스장해와 비슷한 증상이 나타난다.
- 엽끝이 황갈색으로 변하고 쭈글해지며, 과실의 비대가 불량해지고 각을 이루며 색깔이 불균일해진다.
- 어린 경우에 고사하고 낙엽이 되기도 한다.

칼리결핍증상

**✚ 방제 및 대책**

- 칼리는 탄수화물의 합성에 영향이 크고 결핍되면 신장이 억제된다.
- 칼리 결핍 증상이 온 뒤 급하게 칼리시비를 해도 효과가 한참 후에
  나타나므로 결핍증이 오기 전 미리 칼리를 충분히 공급해야 한다.

**Part 06**

유기농 토마토 재배 실천 기술

# Ⅰ. 난황유 활용

- 난황유란 식용유를 달걀노른자로 유화시킨 유기농 작물보호자재로 거의 모든 작물의 병해충 예방목적으로 활용하며 토마토에 발생하는 흰가루병, 가루이, 응애 등에 대한 방제효과가 있다.

## 1. 만드는 방법

- 소량의 물에 달걀노른자를 넣고 2~3분간 믹서기로 간다.
- 달걀노른자 물에 식용유를 첨가하여 다시 믹서기로 3~5분간 혼합한다.
- 만들어진 난황유를 물에 희석해서 작물에 골고루 묻도록 흠뻑 살포한다.

식용유    달걀노른자    혼합

난황유 완성    희석    난황유 살포

표 1. 살포량별 필요한 식용유와 달걀노른자 양

| 재료별 | 병 발생 전(0.3% 난황유) | | | 병 발생(0.5% 난황유) | | |
|---|---|---|---|---|---|---|
| | 1말<br>(20L) | 10말<br>(200L) | 25말<br>(500L) | 1말<br>(20L) | 10말<br>(200L) | 25말<br>(500L) |
| 식용유 | 60mL | 600mL | 1.5L | 100mL | 1L | 2.5L |
| 달걀노른자 | 1개 | 7개 | 15개 | 1개 | 7개 | 15개 |

## 2. 사용방법

- 예방적 살포는 10~14일 간격, 병·해충 발생 후 치료적 목적은 5~7일 간격으로 살포한다.
- 잎의 앞·뒷면에 골고루 묻도록 충분한 양을 살포해야 한다.
- 난황유는 직접적으로 병해충을 살균·살충하기도 하지만 작물 표면에 피막을 형성하여 병원균이나 해충의 침입을 막아주므로 너무 자주 살포하거나 농도가 높으면 작물 생육이 억제될 수 있다.
- 난황유의 병 방제효과를 높이기 위해 유황이나 쿠퍼수화제를 첨가하면 병 방제효과를 높일 수 있고, 님오일과 식물추출물을 첨가하면 해충 방제효과를 높일 수 있다.

## 3. 효과

- 흰가루병과 잎곰팡이병을 예방하는 효과가 있다.
- 가루이 성충에 대한 방제효과가 높지만 토마토 잎의 특성상 약충에 대한 효과가 약해 꾸준히 살포하는 것이 중요하다.

난황유 방제구

난황유 무방제구

※ 난황유 사용 시 주의사항

 - 5℃ 이하 저온과 35℃ 이상 고온에서는 약해를 나타낼 수 있다.

 - 저온다습한 조건에서는 기름방울이 마르지 않고 결빙되어 약해증상을 나타낼 수 있고, 고온건조 시에는 기름방울에 의한 작물의 수분 스트레스가 높아진다.

 - 작물의 종류, 생육시기, 재배형태 등에 따라 난황유에 대한 반응이 다를 수 있다.

 - 영양제나 농약과 혼용 시 효과가 낮아지거나 약해 발생 우려가 있으므로 소규모 시용 후 사용이 필요하다.

# Ⅱ. 액비 활용(충청북도 농업기술원, 2009)

- 작물에 부족한 영양분을 보충하기 위해서 다양한 유기자재를 이용하는
데, 쌀겨와 대두박을 발효시킨 액비는 질소질과 인산을 공급하여 작물의
생육을 돕고 병 발생을 감소시키는 효과가 있다.

## 1. 제조 및 활용방법

① 쌀겨 50%+대두박 50%(W/W)를 혼합하여 망사자루에 5kg씩 담아 발효
조에 넣고 재료 중량당 4배 분량의 물을 넣는다.
② 100일간 상온에서 발효시킨다.
③ 정식 후 15일부터 10~20배 정도 희석하여 7일 간격으로 관주한다.

쌀겨+대두박 발효액비

처리별 비교

화학비료 처리

액비 처리

## 2. 효과

- 발효액비 처리로 작물에 양분을 공급하고 토양을 개량하는 효과가 있으며 양분가용화가 촉진된다.
- 토마토 예(충청북도 농업기술원, 2009)
  - 10회 처리 시 토마토 과실은 38% 증수되었고, 배꼽썩음과율은 15% 감소되었다.

# Ⅲ. 천적 활용 해충방제기술

- 시설재배 토마토에서 천적을 이용한 해충방제가 성공하기 위해서는 포장 내 어느 지점에 어떤 해충이 얼마만큼 발생했는지를 신속히 예찰하

여, 온도 등 환경을 고려한 어떠한 천적을 사용할 것인지를 결정할 수 있어야 한다.

- 천적은 농약과 달리 해충을 잡아먹거나 기생하여 죽이기 때문에 해충과 천적의 밀도에 의해서 결정된다. 따라서 가능한 한 해충발생 초기에 천적을 사용하여야 방제효과도 높이고 천적비용도 적게 소요된다.

# 1. 토마토 발생해충 및 이용천적

- 토마토에 발생하는 해충은 약 10여 종에 이르지만 토마토 잎에서 분비되는 독성으로 인하여 응애류나 총채벌레에 사용되는 천적인 칠레이리응애, 지중해이리응애, 애꽃노린재는 사용하기 어려운 문제가 있다.

표 2. 토마토 발생 해충별 활용가능한 천적

| 해충군 | 해충명 | 이용천적 |
|--------|--------|----------|
| 가루이류 | 담배가루이 | 황온좀벌, 담배장님노린재 |
| | 온실가루이 | 온실가루이좀벌, 담배장님노린재 |
| 잎굴파리류 | 아메리카잎굴파리 | 굴파리좀벌, 잎굴파리고치벌 |
| | 흑다리잎굴파리 | 굴파리좀벌, 잎굴파리고치벌 |
| 나방류 | 담배거세미나방 | 쌀좀알벌, 기생성 선충 |
| | 왕담배나방 | 쌀좀알벌, 기생성 선충 |
| 진딧물류 | 목화진딧물 등 | 콜레마니진디벌 |
| 응애류 | 차응애 | – |
| | 점박이응애 | – |
| | 차먼지응애 | – |
| | 녹응애 | – |
| 총채벌레류 | 꽃노랑총채벌레 등 | – |

# 2. 천적 이용방법

## ✚ 가루이류

- 먼저 포장에 발생한 가루이 종류를 구분하여, 온실가루이인 경우는 온실가루이좀벌을 사용하고, 담배가루이인 경우는 황온좀벌을 사용해야 한다. 포식성 천적인 담배장님노린재는 두 종의 해충에 모두 사용이 가능하다.

- 담배장님노린재는 해충뿐만 아니라 식물체도 가해하기 때문에 포장밀도가 높아지면 토마토 어린 가지를 가해하여 피해를 주기 때문에 밀도 증가 여부를 세심히 관찰해야 한다.

- 온실가루이좀벌은 18℃ 이하의 온도에서는 날지 못하고 걷기 때문에 저온에서 효과가 낮아 사용이 어렵다. 해충 발생 지점에 천적을 집중적으로 방사하여 초기에 제압하는 것이 효과적인 천적 사용방법이다.

여름작형 시설토마토에서 온실가루이좀벌의 방사효과

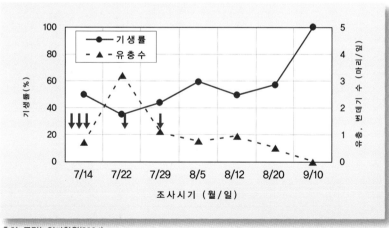

출처: 국립농업과학원(2004)
※ 온실가루이좀벌 25.6마리/m²를 5회에 나누어 방사한 결과 약 55일 후 온실가루이 기생률이 100%에 달했다.

### ✚ 잎굴파리류

- 토마토에 발생하는 잎굴파리 천적은 굴파리좀벌과 잎굴파리고치벌을 사용한다. 굴파리좀벌은 외부기생벌로 다발생한 잎굴파리 군집에서는 기생력이 높으나 소발생한 군집에서는 탐색 능력이 떨어진다. 반면 잎굴파리고치벌은 내부기생벌로 저온에 강하고 기주 탐색능력이 뛰어나나 기생력이 떨어진다.
- 천적 사용 적기는 토마토 잎에 실같이 가느다란 흰색의 굴이 보이면 잎굴파리고치벌과 굴파리좀벌을 혼합 방사하며, 이들 기생벌은 잎굴파리를 섭식과 기생에 의해 죽이게 된다.
- 국내에 서식하는 잎굴파리 기생벌은 약 20여 종이 있으며, 여름철에는 자생하는 기생벌에 의해 대부분의 잎굴파리들이 자연방제 된다. 최근에는 잎굴파리가 대발생하는 포장이 많지 않기 때문에 살아 있는 잎굴파리의 밀도를 감안하여 천적을 사용해야 한다.

### ✚ 진딧물, 잎응애, 총채벌레

- 진딧물은 자주 발생하지 않기 때문에 진딧물 발생 지점에 콜레마니진디벌을 집중적으로 방사하여 초기에 방제한다.
- 잎응애 천적으로 칠레이리응애, 사막이리응애 등이 있지만 토마토 독성으로 인하여 생존율이 낮아 사용을 권장하지 않는다. 하지만 칠레이리응애의 경우 약 4회 정도 토마토에 적응되면 생존율이 높아진다는 보고가 있으나 천적회사에서 토마토에 적응된 계통을 판매하지 않기 때문에 사용이 불가능하다.
- 총채벌레 천적으로 애꽃노린재와 지중해이리응애가 있으나 토마토 독성으로 인해 행동에 제한을 받으며 증식력이 떨어진다.

# Ⅳ. 태양열 소독

- 태양열 소독이란 기온이 높은 여름철에 물을 대고 투명한 비닐로 멀칭하여 토양 온도를 높임으로써 병원균을 사멸시키거나 불활성화시키는 방법이다.
- 비닐하우스 재배에서 문제가 되는 선충이나 토양해충을 방제하는 데 탁월한 효과가 있으며 토양 표면 가까이 있다가 발아하여 올라오는 대부분의 잡초 종자는 죽거나 제대로 발아하지 못하게 된다.

## 1. 작업순서

① 경운 → ② 유기물과 석회시용 → ③ 작은 이랑 만들기 → ④ 지표면 피복 → ⑤ 일시담수 → ⑥ 하우스 밀폐 → ⑦ 하우스 개방 및 제거 → ⑧ 경작

① 토양을 20cm 정도 경운한다.
② 석회와 유기물을 골고루 살포한 후 작은 이랑을 만든다.
- 석회: 200~250kg(300평)
- 유기물: 미숙퇴비 3,000kg 또는 질소기비량+볏짚 500kg(300평)

③ 토양이 포화상태가 되도록 관수한 다음 투명 PE필름으로 밀봉한다.

④ 한 달간 하우스를 밀폐시킨다.

## 2. 주의사항

- 노지에서는 상토용 비닐에 10~15cm 두께로 흙을 넣고 10~15일간 방치하여 햇볕에 소독해도 효과적이다.
- 지중가온시설이 보급된 농가에서는 담수처리 후 지온을 50℃ 이상 되도록 5일간 가온할 경우 많은 토양전염성 병원균과 선충을 방제할 수 있다.

태양열 소독을 위한 유기물 처리 및 비닐피복

# V. 석회유황합제

- 석회유황합제는 이후 값이 싸고 살균력과 살충력을 지니고 있어 널리 활용되고 있으며 우리나라에서도 친환경재배농가를 중심으로 병해충 관리에 사용되고 있다.

## 1. 제조방법

① 20L의 물을 40℃로 데우고 2.5kg의 유황을 저으면서 첨가한다.

② 혼합액을 천천히 데우면서 70℃에서 생석회 5kg를 서서히 첨가한다.

③ 양액이 끓기 시작하여 30~40분이 경과하면 거품이 없어지면서 자주색이 나타난다.

④ 약 2시간 정도 약한 불로 끓인다.

⑤ 상온에 식힌 후 상층액을 500배로 희석하여 살포한다.

석회유황합제 제조과정 모습

완성된 석회유황합제

## 2. 효과

- 약제의 강한 알칼리성은 균체를 부식시켜 균체조직을 기계적으로 약화시키고 황의 침입을 쉽게 하고 황은 균조직 내에 작용하여 살균작용을 하게 된다. 응애류와 같은 각종 해충에 대해서도 같은 과정을 거치면서 살충작용을 하게 된다.

## 3. 주의사항

- 약제를 혼합사용하는 용기는 일반 금속제품을 피하고 제조 시에는 스테인리스 용기를 사용한다.
- 분무기는 사용 후 암모니아수나 초산액으로 씻고, 저장 시 용기를 막아서 공기 접촉을 막도록 한다.

# Ⅵ. 난각칼슘

- 달걀껍질에 있는 칼슘과 미네랄을 공급하여 작물이 튼튼하게 자라 병
  해충에 견딜 수 있게 한다.
- 달걀껍질을 식초에 녹여 난각칼슘을 만들면 작물에 필요한 칼슘소스
  로 사용할 수 있다.

## 1. 제조방법

① 달걀껍질을 2일 이상 완전히 건조시킨 후 가루로 만든다.
② 현미식초 1말(20L)에 달걀껍질 1kg을 조금씩 저으면서 첨가한다.
   20~25℃로 보관한다(하루에 한 번씩 잘 저어준다)
③ 달걀껍질이 가라앉아 더 이상 기포 발생이 없으면 수용성 칼슘이 완성
   된다(약 7일 경과).
④ 망사자루로 걸러서 냉암소에 보관한다.

달걀껍질

식초로 난각칼슘 추출

난각칼슘 완성

## 2. 사용 및 효과

- 완성된 난각칼슘은 500배에서 200배로 희석하여 작물에 살포한다.
- 난황유 등과 같이 혼용하여 사용하면 효과적이다.
- 고온기 칼슘결핍 장해 해소, 배꼽썩음병 등 병해에 예방효과가 있다.

# Ⅶ. 식물추출물

- **님(Neem)오일**

  - *'Azadirachta Indica'* 라는 식물의 열매에서 추출한 식물성 기름으로 살균효과뿐만 아니라 응애, 진딧물 등 많은 해충에 대한 살충효과를 가진다.
  - 현재 님(Neem) 추출물을 함유한 제품들이 상품화되어 있으니 이를 적절히 이용한다.

- **제충국**

  - 국화과의 식물로 피레스로이드라고 하는 물질이 여러 해충에 대하여 독소로 작용한다.
  - 국내 많은 지역에서 재배가 가능하며 꽃을 따서 알코올에 추출한 뒤 물에 희석하여 사용한다.
  - 천적과 꿀벌에 해를 줄 수 있으므로 주의한다.

# 국내 유기농업에 허용되는 자재 목록

### 표 1. 토양개량과 작물생육을 위하여 사용이 가능한 자재

| 사용이 가능한 자재 | 사용 가능 조건 |
|---|---|
| ○ 농장 및 가금류의 퇴구비 | ○ 농촌진흥청장이 고시한 품질규격에 적합할 것 |
| ○ 오줌 | ○ 적절한 발효와 희석을 거쳐 냄새 등을 제거한 후 사용할 것 |
| ○ 퇴비화된 가축 배설물 | ○ 농촌진흥청장이 고시한 품질규격에 적합할 것 |
| ○ 대두박, 미강유박, 잠용유박, 깻묵 등 식물성 유박류 또는 그 원료로 만든 제품 | ○ 농촌진흥청장이 고시한 품질규격에 적합할 것 |
| ○ 건조된 농장퇴구비 및 탈수한 가금퇴구비 | ○ 농촌진흥청장이 고시한 품질규격에 적합할 것 |
| ○ 질소질 구아노 | |
| ○ 짚(왕겨) 및 산야초 | |
| ○ 버섯재배 및 지렁이 양식에서 생긴 퇴비 | ○ 지렁이 양식용 자재는 이 목(1) 및 (2)에서 사용이 가능한 것으로 규정된 자재만을 사용할 것 |
| ○ 유기농장 부산물로 만든 비료 | |
| ○ 식물잔류물로 만든 퇴비 | |
| ○ 혈분·육분·골분·깃털분 등 도축장과 수산물 가공공장에서 나온 가공제품 | ○ 농촌진흥청장이 고시한 품질 규격에 적합할 것 |
| ○ 식품 및 섬유공장의 유기적 부산물 | ○ 합성첨가물이 포함되어 있지 아니할 것 |
| ○ 해조류 및 해조류제품 | |
| ○ 톱밥, 나무껍질 및 목재 부스러기 | ○ 폐가구 목재의 톱밥 및 부스러기가 포함되어 있지 아니할 것 |
| ○ 나무숯 및 나무재 | |
| ○ 천연 인광석 | ○ 물리적 공정으로 제조된 것이어야 하며, 카드뮴이 5산화인산으로 환산해서 1kg 중 90mg 이하일 것 |
| ○ 칼륨암석 및 채굴된 칼륨염 | ○ 합성공정을 거치지 아니하여야 하고 합성비료가 첨가되지 않아야 하며, 염소 함량이 60% 미만일 것 |
| ○ 황산가리 또는 황산가리고토(랑베나이트 포함) | |
| ○ 해조류퇴적물, 석회석 등 자연산 탄산칼슘 | ○ 천연암석분말이거나 물리적 공정으로 제조된 것일 것 |
| ○ 마그네슘 암석 | |
| ○ 석회질 마그네슘 암석 | |
| ○ 황산마그네슘 및 천연석고 | |
| ○ 스틸리지 및 스틸리지 추출물(암모니아 스틸리지를 제외한다) | |
| ○ 염화나트륨 | ○ 채굴한 염 또는 천일염일 것 |

| | |
|---|---|
| ○ 인산알루미늄칼슘 | ○ 물리적 공정으로 제조된 것이어야 하며, 카드뮴이 5산화인산으로 환산해서 1kg 중 90mg 이하일 것 |
| ○ 붕소 · 철 · 망간 · 구리 · 몰리브덴 및 아연 등 미량원소 | |
| ○ 황 | |
| ○ 자연암석분말 · 분쇄석 또는 그 용액 | ○ 화학합성물질로 용해한 것이 아닐 것 |
| ○ 벤토나이트(Bentonite) · 펄라이트(Perlite) 및 제오라이트(Zeolite), 일라이트(Illite) 등 점토물질 | |
| ○ 벌레 등 자연적으로 생긴 유기체 | |
| ○ 질석 | |
| ○ 이탄(泥炭: Peat) | |
| ○ 피트모스(토탄) 및 피트모스추출물 | |
| ○ 지렁이 또는 곤충으로부터 온 부식토 | ○ 슬러지류를 먹이로 하는 것이 아닐 것 |
| ○ 석회소다 염화물 | |
| ○ 사람의 배설물 | ○ 완전히 발효되어 부숙된 것일 것 |
| |   – 고온발효: 50℃ 이상에서 7일 이상 발효된 것 |
| |   – 저온발효: 6개월 이상 발효된 것 |
| |   – 직접 먹는 농산물에 사용금지 |
| ○ 제당산업의 부산물(당밀, 옥침수, Vinasse, 식품등급의 설탕, 포도당 포함) | ○ 유해화학물질로 처리되지 않을 것 |
| ○ 유기농업에서 유래한 재료를 가공하는 산업의 부산물 | |
| ○ 목초액 | ○ 산림법에 의하여 고시된 규격 및 품질 등에 적합할 것 |
| ○ 석회질 및 규산질 비료(부산석회, 부산소석회 제외) | ○ 농촌진흥청장이 고시한 품질규격에 적합할 것 |
| ○ 미생물제제(미생물추출물 포함) | ○ 농촌진흥청장이 고시한 품질규격에 적합할 것 |
| ○ 키토산 | ○ 농촌진흥청장이 고시한 품질규격에 적합할 것 |
| ○ 그 밖의 자재 | ○ 식물에 영양을 공급하거나 토양의 성질에 변화를 주기 위해 공급하는 물질에 한하며, 천연물질 또는 천연물질에서 유래하고, 화학적 공정을 거치거나 화학적으로 합성된 물질이 첨가되지 아니할 것 |

표 2. 병해충 관리를 위하여 사용이 가능한 자재

| 사용이 가능한 자재 | 사용 가능 조건 |
|---|---|
| (가) 식물과 동물 | |
| ○ 제충국 제제 | ○ 제충국에서 추출된 천연물질일 것 |
| ○ 데리스 제제 | ○ 데리스에서 추출된 천연물질일 것 |
| ○ 쿠아시아 제제 | ○ 쿠아시아에서 추출된 천연물질일 것 |
| ○ 라이아니아 제제 | ○ 라이아니아에서 추출된 천연물질일 것 |
| ○ 님(Neem) 제제 | |
| ○ 밀납(프로폴리스) | ○ 님에서 추출된 천연물질일 것 |
| ○ 동 · 식물 유지 | |
| ○ 해조류 · 해조류가루 · 해조류추출액 · 소금 및 소금물 | ○ 화학적으로 처리되지 아니한 것일 것 |
| ○ 젤라틴 | |
| ○ 레시틴(인지질) | |
| ○ 카제인 | |
| ○ 식초 등 천연산 | ○ 화학적으로 처리되지 아니한 것일 것 |
| ○ 누룩곰팡이(Aspergillus)의 발효생산물 | |
| ○ 버섯 추출액 | |
| ○ 클로렐라의 추출액 | |
| ○ 천연식물에서 추출한 제제 · 천연약초, 한약제 및 목초액 | ○ 목초액은 「산림자원의 조성 및 관리에 관한 법률」에 고시된 규격 및 품질 등에 적합할 것 |
| ○ 담배잎차(순수니코틴은 제외) | |
| | |
| (나) 미네랄 | |
| ○ 보르도액 · 수산화동 및 산염화동 | |
| ○ 부르고뉴액 | |
| ○ 구리염 | |
| ○ 유황 | |
| ○ 맥반석 등 광물질 분말 | |
| ○ 규조토 | |
| ○ 규산염 및 벤토나이트 | |
| ○ 규산나트륨 | |
| ○ 중탄산나트륨 및 생석회 | |
| ○ 과망간산칼륨 | |
| ○ 탄산칼슘 | |

○ 파라핀유

○ 키토산 ○ 농촌진흥청장이 고시한 품질규격에 적합할 것

(다) 생물학적 병해충 관리를 위하여 사용되는
 자재
○ 미생물 제제(생물농약) ○ 농촌진흥청장이 고시한 생물농약등록기준에 적합
 할 것

○ 천적 ○ 농촌진흥청장이 고시한 품질규격에 적합할 것

(라) 덫
○ 성유인물질(페로몬)
○ 메타알데하이드를 주성분으로 한 제제 ○ 작물에 직접 살포하지 아니할 것

(마) 기 타
○ 이산화탄소 및 질소가스
○ 비눗물 ○ 화학합성비누 및 합성세제는 사용하지 아니할 것
○ 에틸알코올 ○ 발효생산된 에틸알코올이어야 하며, 메틸알코올은
 첨가제로만 사용

○ 동종요법 및 아유베딕(Ayurvedic) 제제
○ 향신료 · 바이오다이내믹 제제 및 기피식물
○ 웅성불임곤충
○ 기계유제
○ 그 밖의 자재 ○ 식물의 병해충 관리를 위해 공급하는 물질에 한하
 며, 천연물질 또는 천연물질에서 유래하고, 화학적
 공정을 거치거나 화학적으로 합성된 물질이 첨가
 되지 아니할 것

## 친환경 유기농자재 목록 공시

- 현재(2010. 9) 총 1008종의 유기농자재가 목록 공시되어 있다.
  - 28건(토양개량), 301건(작물생육), 300건(토양개량 및 작물생육), 123건(작물병해관리), 256건(작물충해관리)
- 목록 공시제는 대상 품목에 함유된 자재가 유기농업에 허용되는 자재임을 보증하나 그 효과나 품질을 보증하지는 않는다.
- 공시 품목에 대한 정보는 농촌진흥청 홈페이지(www.rda.go.kr)에서 확인이 가능하다.
- 농촌진흥청 홈페이지에서 정보를 확인하는 방법은 다음과 같다.
  ① 홈페이지 상단의 기술정보를 클릭한다.
  ② 기술정보 내 농자재정보를 클릭한다.
  ③ 농자재정보의 친환경 유기농자재를 클릭한다.
  ④ 원하는 자재명을 클릭하면 상세 정보를 확인할 수 있다.

# 유기농 인증 기준

## 1. 유기농 인증 기준과 표시

- 유기농 인증이란 친환경농산물 인증제도의 하나로서 소비자에게 보다 안전한
  친환경농산물을 전문인증기관이 엄격한 기준으로 선별·검사하여 정부가 그
  안전성을 인증하는 것을 뜻한다.

표 3. 유기농산물 인증 기준과 표시(농산물품질관리원)

| | |
|---|---|
| 인증기준 | – 유기합성농약과 화학비료를 일절 사용하지 않고 재배(전환기간: 다년생 작물은 3년, 그 외 작물은 2년)<br>– 유기축산물은 유기농산물 인증기준에 맞게 재배 생산된 「유기사료」를 급여하면서 인증 기준을 지켜 생산한 축산물 |
| 인증마크 및 표시  | – 유기농산물, 유기축산물 또는 유기○○(○○는 농산물의 일반적 명칭으로 한다)<br>– 유기재배농산물, 유기재배○○ 또는 유기축산○○ |

## 2. 유기농 인증 신청과 절차

- 신청기한
  - 인증신청 농산물 생육기간의 1/2이 지나기 전에 인증희망일 42일 전까지 신
    청한다.
- 신청 시 제출서류
  ① 친환경농산물인증신청서
  ② 인증품 생산계획서
  ③ 영농 관련 자료(영농일지, 포장별 시비처방서, 기타 관련 자료)
- ※ 자세한 내용은 인증기관에 문의

- 신청기관
  - 국립농산물품질관리원 지원·국립농산물품질관리원 출장소 및 민간 인증기관
- 인증절차(농산물품질관리원)

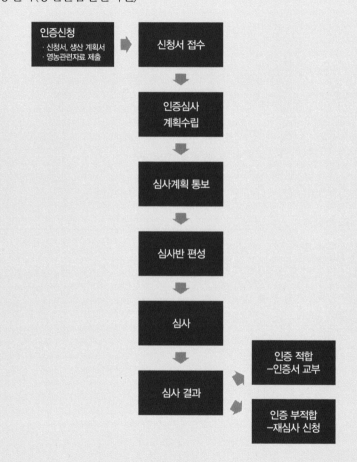

# 유기재배기술 관련 사이트

## 1. 유기농정보포털

| 대표이미지 | 사이트 | 주요 내용 | 인터넷 주소 |
|---|---|---|---|
| RDA 농촌진흥청 | 농촌진흥청 | • 친환경농산물 작물별 생산기술 자료<br>– 친환경재배기술 및 유기자재 정보<br>– 유기재배 실천사례 | http://naas.go.kr/organic |
| 친환경농산물 정보시스템 Environment Friendly Agricultural Products | 친환경농산물 정보시스템 | • 친환경농산물 인증제도 및 법령<br>• 친환경농산물 인증정보<br>• 친환경인증 신청 안내 | http://www.enviagro.go.kr |
| 친환경 전라남도 농업관 | 전라남도 친환경농업관 | • 친환경농업연구동향<br>– 친환경농업 영상강좌<br>– 친환경재배 농법 소개 | http://www.greenjn.com |
| Okdab | 옥답 CEO | • 친환경농업 현황 정보 | http://www.okdabceo.com |

## 2. 국내환경농업단체

| 대표 이미지 | 사이트 | 주요 내용 | 인터넷 주소 |
|---|---|---|---|
| 한국유기농업협회 | 한국유기농업협회 | • 친환경농업교육과정 소개<br>• 유기농업 생산정보 | http://www.organic.or.kr |
| 산다벌연 환경농업단체연합회 | 환경농업단체 연합회 | • 친환경유기농산물 판매처 소개<br>• 친환경농업 현황 자료 | http://www.kfsao.org |
| 자연을 닮은 사람들 자연과 농업의 미래를 여는 지혜 | 자연을 닮은 사람들 | • 자연농업기술 소개<br>– 천연자재 만들기<br>– 국내외 사례연구 | http://www.naturei.net |

| | 흙살림 | • 친환경농업 교육 소개<br>• 유기농업 컨설팅 | http://www.heuk.or.kr |
|---|---|---|---|
| | 전국귀농<br>운동본부 | • 귀농 교육 강좌 소개<br> − 농업재배 기술 교육<br> − 농가 현장 체험 | http://www.refarm.org/ |
| | 한국지속농업<br>산학연구회 | • 유기농재배기술 정보 공유 | http://www.jisok.kr |
| | 한살림전국<br>생산자연합회 | • 친환경농산물 생산자소개<br>• 농업자료 | http://farm.hansalim.<br>or.kr/ |
| | 우리는 지금<br>농촌으로 간다 | • 귀농교육과정 | http://cafe.naver.com/<br>uiturn |